APPRIVOISER LA TENDRESSE

Jacques Salomé

APPRIVOISER LA TENDRESSE

Espérer c'est déjà se sentir
heureux avant même de
rencontrer le bonheur.

 EDITIONS JOUVENCE
5, ch. des Fraisiers
1212 Grand-Lancy/Genève, Suisse

SOMMAIRE

"Depuis quelques années je m'engage dans la suite des livres que je dois écrire avant de mourir. Les premiers ouvrages, on les construit avec la tête, au moyen de ce que l'on sait ou invente, avec la bouche et la langue, puis cela passe dans les mains, les doigts, et tombe le long du corps, par la poitrine, le ventre, les cuisses et les genoux, enfin à la plante des pieds où l'on touche au sol et entre dans la terre: cela devient sérieux, grave même."

Michel SERRES

A ceux que j'aime
ils sont plus nombreux
qu'ils n'imaginent.

A ceux qui m'ont prêté
leur enthousiasme
et leurs textes.

A tous ceux qui se reconnaissent
comme des êtres de tendresse.

L'espérance est une respiration amplifiée
au présent.

Lorsque au début de 1987, j'ai préparé ce texte destiné à une conférence sur le thème difficile de la tendresse, ma fille de 16 ans m'a donné cet avertissement solennel "Laisse tomber Papa, tu vas te planter. La tendresse, c'est vachement difficile à vivre... surtout si l'on aime ! Alors essayer de l'expliquer à des gens qui la cherchent peut-être... Laisse tomber Papa..."

Je n'ai pas laissé tomber et ce texte tel une graine prolifique a continué à germer en moi jusqu'à devenir ce petit livre.

"Tant qu'on invente dans la mécanique
et pas dans l'amour
on n'aura pas le bonheur."
Jean GIONO

Il est de nos jours habituel, dans les Sciences Humaines, d'entendre cette interpellation: d'où nous parlez-vous ?

Après bien des tâtonnements, aujourd'hui je peux le dire.

Je vous parle des pays joyeux et difficiles de mon enfance
Je vais me dire de par les continents et les océans de mes émotions
Je vais témoigner avec les sources et avec les rivières de mes amours
Je vais me confier aux chemins tumultueux de mon corps
et m'abandonner ainsi au pays chaleureux de mon présent

Je vous parle de ce pays à venir qui sera ma vie dans les vingt prochaines années

car l'avenir est à la tendresse, même si demain menace encore un peu... même si aujourd'hui est incertain.

Encore faudra-t-il se donner les moyens de la découvrir sous le béton des habitudes, sous la plage des apparences, sous la violence des certitudes acquises.

La tendresse ne naît pas de l'impossible
elle engendre seulement le possible

POUR RENCONTRER ET APPRIVOISER
LA TENDRESSE

Je crois que la tendresse est un mouvement qui nous entraîne à suivre un chemin bordé de sensations et de sentiments où se trouvent mêlés bienveillance, acceptation, abandon mais aussi confiance, stimulation, étonnement, découverte.

Pour suivre ce chemin, peut-être faut-il accepter de dépasser des peurs, de sortir des préjugés, d'affronter l'inconnu d'une rencontre.

Peut-être faudra-t-il plus simplement, plus difficilement aussi, accepter d'entrer dans le cycle de la vie. La tendresse est une naissance à soi-même qui nous fait pénétrer dans le ventre émerveillé de l'existence.

> La violence est souvent plus rapide que l'espoir... mais elle va moins loin.

Tendresse et tendresses

- Il y a la tendresse d'esprit, qui fait que je me sens complice, participant privilégié des randonnées de la tête et convive invité à la table d'idées.

- Il y a la tendresse du faire, qui transforme chacun de mes actes journaliers en poèmes pour toi, en enfants de toi, celle qui du quotidien banalisé, trace des chemins vers toi.

- Il y a la tendresse des sons, qui me permet de me lover dans la musique de tes gammes, quand tu me chantes ou tu me mozartes, quand pleure pour moi ton violoncelle ou quand simplement tu me parles.

- Il y a la tendresse des mots, quand en orfèvre studieux je les cisèle avec amour pour te les offrir au détour des clairières de mes poèmes.

- Il y a la tendresse du rire, qui ensemence ton visage, qui nait comme jaillissement d'eau fraîche aux berges de tes yeux, qui papillonne sous tes paupières et vient me butiner l'oreille.

- Il y a la tendresse de peau, celle qui m'apprivoise les doigts, qui souffle à mes lèvres frémissantes la brise légère d'un attends, celle qui fait résonner l'airain de mes cuirasses anciennes comme les ailes de libellule, celle qui te reçoit graine et qui fait germer dans mes flancs le désir brûlant du plaisir.

- Il y a enfin la tendresse du cœur, qui contient toutes les précédentes, qui se nourrit de l'une ou l'autre, qui me permet de faire de toi mon Noël quotidien et m'encourage ce soir à te couvrir de mes je t'aime !

Jean BALLAMAN

Apprivoisement

De sourire en sourire
de silence en silence
de caresse en caresse
de douceur en douceur

de regard en soupir
de violence en attente
de départ en départ
de blessure en blessure

d'attente en erreur
de rejet en recherche
de souvenir en oubli
de plaisir en plaisir

de sanglots en découvertes
de rires en sanglots
de baisers en baisers
de souvenirs en paroles

nous allons doucement
l'un vers l'autre.

La tendresse ne se laisse pas enfermer dans une seule définition, elle a de multiples visages, elle se révèle par une infinitude de témoins et son approche aussi sera multiple et complexe.

Serait-il possible de définir en une seule phrase la douceur d'un midi de printemps ou la brise ténue d'un matin d'été !

Serait-il possible d'enfermer dans quelques mots le besoin et la peur de tendresse !

La tendresse va prendre parfois des chemins imprévisibles, détournés ou cachés pour se révéler sans se dire.

La tendresse
toujours en plus,
inattendue,
comme un cinquième point cardinal,
comme une vingt-cinquième heure au jour,
comme un chemin qui continue à monter
après le sommet.

La tendresse
toujours en plein,
en plein cœur
en plein vol
en plein soleil

La tendresse
toujours emplie
de libertés possibles
et de possibles à libérer

La tendresse
toujours enthousiasme

La tendresse
toujours envie
de dire qu'on est en vie,
qu'on est en train,
qu'on est emporté

La tendresse
comme un livre qui reste
à écrire
et à offrir.

Sophie

"Pour moi le mot tendresse veut dire :
- qu'il n'y a plus de disputes
- qu'il n'y a plus de guerres
- qu'il n'y a plus de prises d'otages
- qu'il n'y a plus de viols
- qu'il n'y a plus de racisme
- qu'il n'y a plus d'injustices
- qu'il y ait plus d'amitié "

Eric - 16 ans.

Pendant longtemps, dans ma propre existence, j'ai relié la tendresse au contact physique, dans le geste reçu et donné avec la rencontre des corps, mêlée souvent au corps à corps du désir.

Mais je sais bien aujourd'hui que la tendresse n'est pas seulement physique. Elle est sensation fragile, émotion imprévisible, regard étonné, mouvement secret et fugace, reliés à l'ensemble des sens. Il y a du ruissellement dans la tendresse, du fluide, de l'eau, quelque chose de très ancien, venu de plus loin que la naissance, qui nous renvoie certainement à une vie première baignée dans la "tendresse liquide" de l'univers.

C'est pour cela aussi que j'associe tous les langages du corps à la tendresse. La tendresse suppose justement tous les autres langages qui se trouvent au-delà des langages verbaux: langages du regard, du toucher, de l'odeur, de la proximité physique et aussi ce que j'appelle les "langages de l'intention", vouloir du bien-être, du mieux, du doux à soi-même et à l'autre.

C'est la distance abolie dans le sens de s'abandonner, d'oser se laisser aller en ayant le sentiment qu'on va être reçu et peut-être amplifié, qu'on ne va pas être repoussé, rejeté.

Dans la respiration, par exemple, dans le temps arrêté entre un expir et un inspir il y a l'infinie tendresse du vivant. C'est merveilleux d'être contre quelqu'un et de l'écouter respirer ou de se sentir écouté respirant. Quelle sécurité, quelle plénitude de se sentir accordé dans une respiration ! C'est aussi toute la qualité d'un geste qui accompagnera et soutiendra une parole, un échange. La tendresse sur ce plan est une écoute plus grande du geste (geste qui donne, qui reçoit, qui retient, qui ouvre, qui permet...). Geste qui relance la vie, qui prolonge le temps, qui agrandit l'espace et s'inscrit vivace dans une relation de durée.

La tendresse participe incontestablement de tous les langages multiples et complémentaires du corps. Le contact de peau à peau n'est qu'un des passages possibles de la tendresse. La tendresse c'est quelque chose de plus global. La tendresse c'est corporel et charnel avec tout ce que cela comporte : le regard, l'accueil des yeux, la caresse d'un cil est aussi quelque chose de bouleversant pour qui sait recevoir l'attention proche.

> La tendresse c'est mon regard émerveillé sur ce que tu me donnes, c'est ton regard ébloui sur ce que je t'offre.

Le silence peut être aussi un des passages forts de la tendresse. Le silence dans l'écoute de l'autre, de ce qu'il vit, de ce qu'il éprouve.

La tendresse c'est aussi la musique d'une présence avec la chaleur et les tonalités variées de notre voix. Nous n'accordons pas assez d'importance à la musique de notre voix. Les sonorités harmoniques de la voix accompagnent les gestes de la tendresse et en colorent l'intention. L'émotion filtrée dans les couleurs de la voix est plus importante que les mots car le corps résonne aux vibrations et amplifie leur perception.

Parfois je suis effrayé en m'écoutant parler, j'ai l'impression d'avoir une voix coupante, tranchée, froide, qui n'offre pas de "passage" à la tendresse et d'autres fois je me sens fondre, je sens que ma voix est "conductrice", porteuse d'acceptation, de tolérance et d'écoute, elle devient un "passage" possible pour la tendresse.

> La tendresse c'est une parole ou
> un silence qui devient offrande.

La tendresse n'est donc pas quelque chose de coupant, ni de froid, ni de menaçant. Elle est plus de l'ordre du chaud, de l'ouvert, de l'orange, du souple. Du soyeux, du bien veillant et du riant.

> La tendresse est dans le ruisselant.

La tendresse c'est la rencontre de tous ces langages au delà de la parole qui, par leurs manifestations vont créer un climat particulier dans une relation et ouvrir à plus d'imprévisibles.

La tendresse sera ainsi la sève d'une relation. C'est ce qui fait que deux êtres vivants s'approchent, se rencontrent et qu'ils peuvent peut-être se découvrir et se reconnaître sans se nier, s'annuler ou se menacer. La notion de tendresse contient l'idée, l'avant-goût d'une croissance mutuelle possible.
C'est par la tendresse de l'autre que je peux grandir, être et me développer en sécurité.

> La tendresse a besoin pour naître
> de l'immobile et du silence.

La tendresse implique un échange ou un partage qui va bien au delà des mots. J'ai besoin de tous mes langages, proximité, contact, odeur, respiration, vibration pour "dire" ma tendresse et la recevoir.

Par la tendresse s'opère aussi une re-co-naissance mutuelle dans le sens de naître à nouveau avec l'autre.

Nous pouvons avoir une attitude tendre à l'égard de quelqu'un vers qui nous sommes attirés, mais c'est ensuite le devenir de cette attitude dans une relation, au delà de la rencontre, qui donnera vie à la tendresse ou à plus. C'est à dire qu'il ne suffit pas d'avoir un élan, une attirance ou une envie, il faut aussi qu'une réciprocité puisse se vivre.

La rencontre amplifiée par l'accueil, enrichie par le partage, prolongée en réciprocité devient le ferment de la tendresse.

Il m'arrive de sentir, dans une relation amoureuse où circule beaucoup de tendresse que c'est la peau qui caresse la main.

Il m'arrive d'entendre et de vivre la tendresse dans les endroits les plus incroyables, dans les situations les plus inattendues de la vie.

Je porte tout au fond de moi cette croyance que la tendresse peut être accompagnée, agrandie, amplifiée par l'autre, mais qu'elle peut aussi être détruite, niée, morcelée dans les peurs ou les ressentiments.

> La tendresse c'est une qualité de douceur
> et de confiance qui circule entre deux
> personnes qui se reçoivent mutuellement.
> C'est un entier qui accueille un entier.

Tout cela suppose que chacun soit prêt à abandonner un certain nombre de peurs. La peur d'être déçu, celle du refus, la peur d'être dominé qui est très forte chez la femme comme chez l'homme.

La tendresse est quelque chose d'indispensable à la vie de l'être humain et surtout à la qualité de la vie de chacun. Par ma formation et mes activités professionnelles j'en suis arrivé à penser que beaucoup de maladies (je considère la maladie comme un ensemble de langages symboliques) sont provoquées par des manques ou des distorsions, des malentendus liés à l'amour reçu et donné et à la tendresse absente, censurée ou dévoyée.

J'associe amour et tendresse dans un même mouvement de l'être à la réalisation de Soi. Et le besoin de tendresse comme une tentative désespérée et vitale vers plus d'achèvement de Soi.

Je ne pense pas que la tendresse puisse exister sans la certitude de pouvoir aimer et celle d'être aimé. Je lie amour et tendresse, comme la chaleur peut être liée au soleil.

> La tendresse dorée de tes mains sur mon
> corps pour me relier aux racines et aux
> horizons de l'univers...
> et me prolonger vers le meilleur de Toi.

La tendresse ne passe pas par la privation, elle contient l'idée d'abondance, de générosité et surtout d'abandon, de lâcher prise. En étant tendre et généreux avec moi-même, je peux proposer plus de tendresse... je peux ainsi en recevoir sans la perdre.

Quels mots

Quels mots faut-il dire
Pour donner de la joie ?
Quels mots faut-il dire
Pour donner du bonheur *?*

Faut-il dire amitié ?
Faut-il dire entente ?
Faut-il dire liberté aussi ?
Ou faut-il te prendre la main ?

Quels mots faut-il dire
Pour donner de l'Amour ?
Quels mots faut-il dire
Pour donner de la tendresse ?

Faut-il dire je t'aime ?
Faut-il dire toujours ?
Faut-il dire enfants aussi ?
Ou faut-il te prendre la main ?

Quels mots faut-il dire ?
Quels mots ?

Et si je ne dis rien, si je me tais ?
Si je te regarde simplement
Et si je te souris
Alors ma main prendra toute seule la tienne
Et tu entendras ces mots
Dans mon silence

Blandine (19 ans, morte d'un
cancer des os)

Il faudra payer pour tous les mots non dits
          pour toutes les caresses perdues
          pour tous les rêves abandonnés
Il faudra rendre compte de la peur et de l'avarice
          qui empêchèrent d'aimer
          de l'aveuglement et de l'orgueil
          qui étouffèrent les élans
Il faudra rendre compte de tous les gestes retenus
          des larmes avalées
          de l'amour non donné
          des promesses
          et du temps perdu.

                    (Anonyme)

Car l'amour fait encore très peur.
Il demande le lâcher prise
l'abandon de soi, l'abandon à soi
la confiance éblouie et non aveugle
l'offrande absolue.

Le premier pas vers la tendresse
le premier germe est un regard qui sait entendre bien au-delà des
silences... les demandes vers plus d'amour, vers plus d'espoir.

Et les premiers mots qui me sont venus sont

La tendresse
je ne sais pas ce que c'est.
C'est quelque chose que je sens
que je rencontre et que je vis parfois.

La tendresse
c'est un chemin qui s'offre à moi
                    qui s'offre à chacun
bien après les peurs
bien après les doutes
bien après les demandes
et bien après les ressentiments et les rancœurs.

La tendresse c'est une écoute,
un sourire et parfois un rire
qui surgit bien longtemps
après le souvenir.

La tendresse
ne se demande pas,
elle s'autorise dans le sens où elle vous rend auteur,
c'est-à-dire créateur.
Elle se reçoit et s'offre dans un même mouvement,
un élan du coeur, une caresse de l'âme.

La tendresse
est avant toute chose un regard et plus encore
une qualité du regard qui se développera en contact,
en échange et en partage.

La tendresse
est gratuite, dans le sens où elle ne suppose pas obligation de réciprocité.
Elle est en dehors des trocs relationnels habituels
"je te dois, tu me dois, je me sens quitte,
tu m'es très cher, tu comptes pour moi..."
(Je ne sais pas si vous entendez la connotation
"phinancière" de tels échanges.

La tendresse
se propose et se vit en dehors de toute contrainte,
elle ne s'inscrit pas dans une relation de pouvoir
puisqu'elle est avant tout
ABANDON ET OFFRANDE.

La tendresse
ne se parle pas beaucoup.
Elle se dit surtout avec les multiples langages du corps.
Oui, la tendresse peut être respiration.
Oser respirer proche de l'autre, c'est déjà le recevoir.

La tendresse
est aussi dans le toucher, je ne dis pas la caresse.
Elle est dans un geste plein qui écoute et ouvre les chemins
pour la rencontre des corps et des émotions.
Elle permet ainsi le partage de l'indicible et plus encore, de l'ineffable.
Un toucher qui ne prend rien
                qui n'exige rien
qui ouvre à la confiance, à l'agrandissement de soi.

Un autre des langages importants de la tendresse, c'est le temps, le temps aboli, le temps qui prend son temps, le temps qui se laisse aller à rêver,
qui se permet de rire et d'engranger des souvenirs.

La tendresse
c'est l'anti-ivresse,
elle se découvre dans cet espace fragile
entre mouvement et immobilité,
ce qui fait que parfois elle est silence
et d'autres fois elle devient danse.
La tendresse se partage alors dans l'harmonie
des gestes accordés et improvisés.

Laissez-moi vous dire aujourd'hui, que la tendresse
n'a pas d'âge, pas de sexe,
pas de race et qu'elle est de toutes les couleurs.
Elle s'invente et s'amplifie avec la liberté de s'aimer.

Puis-je terminer en disant que la tendresse c'est
apprendre
à conjuguer le verbe TOI, un verbe très rare,
à chuchoter avec respect,
le seul verbe du langage de l'amour à se conjuguer
avec le verbe aimer toujours au PRESENT

Tu es aimé(e).

Aller plus loin avec quelqu'un, c'est souvent
aller plus près.

Mon texte, par sa forme –par son contenu– par les exemples qu'il contient, risque de paraître déroutant. Il sera peut-être, dans un premier temps trop interpellant, voire même choquant pour certains.

Car la tendresse est ce qui déclenche le plus de malentendus, le plus de résistances et surtout le plus de méfiance dans les relations humaines.

En prenant ce risque, j'espère qu'au delà d'un discours sur la tendresse, circuleront des émotions, s'ouvriront des sentiments et se partageront des possibles.

> La tendresse c'est une parole
> ou un silence qui devient offrande...
> dans une écoute confiante.

Je vais tenter de partager quelques-unes de mes découvertes et de mes interrogations sur la tendresse, d'en montrer les possibles et les prolongements, d'en cerner les obstacles, les ennemis et les alliés.

J'illustrerai cela par des exemples pris dans la vie quotidienne et avec des textes poétiques traversés par toutes les relations fortes de mon existence.

Ainsi je vous entretiendrai de la tendresse à l'égard de la vie, à l'égard des parents, des enfants, des amis.

De la tendresse amoureuse, bien sûr.

De la tendresse et de la nostalgie, celle des souvenirs, qui ne sont pas toujours des regrets.

Puis pour terminer de la tendresse la plus oubliée, celle que nous pourrions avoir à l'égard de soi-même.

> La tendresse ce sont des yeux
> qui se découvrent regard.

Il n'est pas facile de parler et de dire la tendresse avec des mots et j'ai le sentiment de me livrer à un exercice fort périlleux. Car le propre de la tendresse c'est de se vivre, de s'éprouver, de se recevoir et de se donner.

Si la tendresse se dit parfois avec des mots, elle s'exprime et se partage avec des regards, avec des attentions, avec des gestes, avec des actes ou avec des silences.

La tendresse est une qualité de l'attention qui s'offre, se propose, sans jamais contraindre, qui peut donc se mettre en réserve, en attente, sans se refermer, sans se bloquer à jamais.

Tout ce qui s'impose, se force ne peut s'associer à la tendresse. Elle n'est jamais redondante, "m'as-tu vu" ou "pousse-toi de là". Elle est discrète, même si elle est joyeuse, parfois éphémère et se joue dans l'intime, dans le subtil des émois et des sentiments vécus.

Elle passe souvent inaperçue dans la fugacité d'un rien, dans un surplus de "bon", lié à l'intensité soudaine d'un geste ou d'une parole. La tendresse c'est le duvet léger de l'attention proche.
La tendresse c'est tout ce qui aurait pu surgir au 8e jour de la création si seulement... il avait fait encore un petit effort !

> La tendresse retrouvée c'est comme des
> lunettes correctrices qui pourraient
> corriger le regard et la vision sur la vie.

J'ai découvert la tendresse vers sept ans et demi en jouant au gendarme et au voleur. J'étais le gendarme, elle était le voleur. Je la gardai prisonnière et j'avais le regard farouche d'un vieux chef indien et la mâchoire serrée de Zorro... pendant qu'elle nouait son mouchoir autour de mon genou écorché.

Ce n'est pas tant de la douceur de ses doigts dont je me souviens, ni de l'étrange précision de ses soins, mais de la mèche de cheveux blonds qui voletait contre ma cuisse et de sa joue effleurant ma main.

Cette caresse inespérée est inscrite à jamais dans mon corps comme la marque d'un possible.

Ce fut le premier geste gratuit que j'ai gardé longtemps, longtemps comme un trésor... refusant de laver ma jambe et ma main gauche pendant plus d'un mois dans l'incompréhension totale de mes parents.

Et, quelque vingt-huit années plus tard, après avoir vécu l'impuissance et la rage de ne pouvoir enfanter, de ne pas porter d'enfant dans mon ventre d'homme, moi qui étais déjà le père de trois filles et de deux garçons, j'ai retrouvé cette qualité du geste et du regard, cette lumière douce d'une attention proche quand celle qui partageait ma vie a posé un matin sa main sur mon front en murmurant :"laisse-moi faire".

Et j'ai senti un chuchotement sur ma peau, un rire sur mon ventre, une chaleur soudaine dans mes pieds. Quand j'ai ouvert les yeux –elle était toujours là– mais je n'étais plus le même. Elle avait dessiné avec un crayon feutre un bébé tout rond et frais sur mon ventre. Il était là, entier. Je me souviens encore aujourd'hui avec la même émotion, de la main de ce bébé tendue vers mon sein. Il souriait, paisible, confiant.

Avec mes pleurs, ce jour-là, j'ai lâché l'infinie détresse de n'être qu'un homme, j'ai déposé l'incroyable tristesse à être inachevé et j'ai retrouvé plus pleine cette partie de moi trop méconnue, ma féminitude.

Entre ces deux événements, j'ai souvent oublié que j'étais porteur de tendresse. J'en ai beaucoup reçu... Je ne savais pas en donner. Je ne savais même pas que j'étais générateur de tendresse, que je pouvais être comme chacun de vous, un soleil de tendresse. Elle est venue sur le tard, avec les ans, avec les rencontres.

Aujourd'hui, je peux en indiquer les chemins ou plutôt les sentiers et les sources, les passages difficiles et les clairières où elle peut s'ébattre en tout abandon.

> "Vous êtes de jeunes soleils qui se
> font les dents... et un jour
> vous rayonnerez à votre tour "
>
> Un père à ses enfants.

La tendresse est comme l'oxygène, elle est partout présente à l'état de germe, de fleur et de soleil en chacun de nous. Elle peut surgir au détour de chaque rencontre, aux rencontres de chaque relation.

Recevoir de la tendresse c'est se sentir reconnu et accepté comme un être précieux, comme un être exceptionnel.

J'ai vu le corps de cette très vieille dame se redresser, devenir plus léger, lâcher beaucoup de ses rhumatismes et rire de contentement, quand son grand fils qui l'avait prise dans ses bras pour l'élever vers l'étagère la plus haute de son armoire à confiture, la reposa à terre avec un pot de myrtilles de l'an passé dans ses mains.

Chacun de nous a la possibilité d'être tendre bien au delà des relations familiales ou amoureuses, dans l'imprévisible d'un sourire, d'un rapprochement, d'un regard ou d'un geste. La tendresse pourrait avoir une place permanente dans le quotidien, elle pourrait se montrer au grand jour des relations sociales entre des hommes et des femmes, entre des hommes et des hommes, entre des femmes et des femmes, sans oublier celle à vivre avec les enfants, bien sûr.

> "Adolescente, je pensais que la tendresse
> s'opposait à la passion. Avec la maturité
> je découvre sa puissance. La tendresse est
> tout le contraire de la douceur."
>
> Marie-Christine Barrault

Relation

Pain bis, de seigle ou de campagne
     pain dur et sec des jours arides
     et pain blanc comme l'azyme
     ou pain d'épices des jours de fête.

Pain quotidien et pourtant béni
     frais ou rosé
     que m'importe...
     tu es là pour l'amour ou la disette.

Pain cuit et recuit aux feux de nos braises
     aux flammes de nos embrassements
     ou sous la cendre de nos désirs inachevés

Pain brûlé, oublié dans le désarroi de nos silences

Pain gris comme la hargne que l'on mâche
     et remâche

Et pain de toutes les saisons
     sentant le levain des jours éclatés
     à goût de froment lourd et bon

Pain partagé, offert les soirs de retrouvailles.

Elle s'appelait Asie

TENDRESSE ET COMMUNICATION

Nous sommes des êtres de relations avec deux besoins fondamentaux : se sentir reconnu et pouvoir se relier à des personnes significatives de notre vie. Notre infirmité relationnelle est pathétique, elle nous entraîne à entretenir des malentendus, des souffrances et des répétitions qui maltraitent le quotidien.

Comme la plupart d'entre vous, j'ai cru longtemps, au niveau de la relation intime, qu'il suffisait d'aimer et de se sentir aimé pour que... tout aille bien. J'ai découvert... sur le tard de ma vie, que ce n'est pas l'amour ou la force des sentiments qui maintiennent ensemble dans la durée deux êtres, c'est la qualité de la communication qu'ils peuvent établir ensemble.

Sur le plan professionnel ou social également, j'étais persuadé qu'avec de la bonne volonté, une intentionnalité positive, un peu de savoir et de savoir-faire... tout irait bien. Eh bien là non plus, ce n'était pas suffisant. Il fallait quelque chose de plus, que je n'avais pas : savoir me mettre en commun, savoir me dire et être entendu, savoir me décentrer parfois pour entendre l'autre, pour lui permettre de se dire.

> La tendresse d'une écoute, c'est de permettre à l'autre non seulement de se dire, mais aussi de s'entendre.

Nous sommes à l'âge adulte des handicapés de la communication avec la difficulté la plus terrible : oser parler de soi. Non dans la plainte, l'accusation, la culpabilisation ou la mise en doute de l'autre, mais dans l'expression de son ressenti, de son vécu, de ses sentiments réels.

La tendresse dans la communication, c'est quand je peux faire le choix entre trois possibles dans mon écoute.

- recevoir le dit de l'autre, sans m'en emparer, sans le juger, sans vouloir le remplacer par mon propre discours, pour en faire un partage ouvert.
- amplifier, agrandir le dit de l'autre, pour en faire un partage créatif.
- me différencier du dit de l'autre, sans le rejeter, le disqualifier ou le dénigrer.

La tendresse dans la communication, c'est quand je peux oser une parole libre, pleine, en prise directe avec ce que je sens, j'éprouve, je vis.

Une bouche à parole

Cheminer longtemps
sourdement
patiemment
sur tant de chemins
par tant d'errances
pour oser enfin ouvrir
mes yeux
sur ma vie, mon histoire,
sur toutes les histoires inventées
et vraies à la fois.

Pour retrouver ma bouche
et parler
pour sortir du silence plaie
et ouvrir le silence blessure
pour retrouver des mots
et articuler sans ruminer
sans mâcher
sans vomir
une bouche à paroles
pour oser appeler et crier
et m'entendre pleurer et rire
Oh rire de toutes les peurs
de toutes mes souffrances
rire de mes pièges
de mes interdits
caresser mes désirs
horizons
laisser naître enfin
une bouche à paroles
pour inventer mon existence.

Quelques repères simples pour une communication en tendresse.

• Je peux commencer l'échange par une invitation, une stimulation en m'appuyant sur un vécu commun.
• J'invite à utiliser le JE et non le ON qui dépersonnalise ou le TU qui me définit.
• Je me centre sur la personne et non sur le problème ou le discours.
• Je ne discute jamais des croyances ou des points de vue de l'autre, j'accède à la différence des ressentis.
• Je propose un échange sur la base de l'apposition et non de l'opposition.
• J'évite de couper l'autre mais je sais manifester mon intention de dire ma position.
• Je ne prête pas d'intentions négatives à l'autre, j'entends sa parole comme étant la sienne. Et je ne pratique pas l'appropriation ou la dynamique de l'éponge, en me blessant avec ce qui lui appartient.
• Je ne cherche pas à convaincre mais je ne renonce jamais à dire mon ressenti, mon point de vue, mon désir ou mon projet.
• Je ne porte pas de jugement sur la personne ou ses actions mais je sais dire ma gêne, mon trouble ou ma colère... et aussi mon accord.
• Je n'entretiens pas la communication indirecte. Si quelqu'un me parle d'un autre, je me centre sur celui qui me parle, sur son vécu, ses émotions, son point de vue.
• Je ne m'abrite pas derrière mon statut. Je me situe au présent.
• Je ne prends jamais dans une relation ce qui appartient à une autre. Je tente de respecter au maximum les canaux

relationnels. C'est celui qui me parle que j'écoute. Et j'attends d'être entendu à qui je parle.

• Je sais les vérités relatives et combien le ressenti, le vécu personnel a besoin d'être reconnu.

Mon utopie la plus vitalisante serait qu'un jour soit appris dans toutes les écoles : Ecole Laïque, Ecole Libre, Ecole de la Vie, **une grammaire de communication vivante et de relations en santé.** Au même titre que le calcul, le français, l'histoire ou la géographie, oui, que soient enseignées un art de la communication, de la mise en commun, un art de la relation qui permettent à chacun d'être plus lui-même.

La tendresse dans la communication serait dans le possible d'une écoute ouverte

Quand je te demande d'être écouté.

Quand je te demande de m'écouter et que tu commences à me donner des conseils, je ne me sens pas entendu.

Quand je te demande de m'écouter et que tu me poses des questions, quand tu argumentes, quand tu tentes de m'expliquer ce que je ressens ou ne devrais pas ressentir, je me sens agressé.

Quand je te demande de m'écouter et que tu t'empares de ce que je dis pour tenter de résoudre ce que tu crois être mon problème, aussi étrange que cela puisse paraître, je me sens encore plus en perdition.

Quand je te demande ton écoute, je te demande d'être là, au présent, dans cet instant si fragile où je me cherche dans une parole parfois maladroite, inquiétante, injuste ou chaotique. J'ai besoin de ton oreille, de ta tolérance, de ta patience pour me dire au plus difficile comme au plus léger.

Oui simplement m'écouter... sans excusation ou accusation, sans dépossession de ma parole.

Ecoute, écoute moi. Tout ce que je te demande c'est de m'écouter. Au plus proche de moi. Simplement accueillir ce que je tente de **te** dire, ce que j'essaie de **me** dire. Ne m'interromps pas dans mon murmure, n'ai pas peur de mes tâtonnements ou de mes imprécations. Mes contradictions comme mes accusations, aussi injustes soient-elles, sont importantes pour moi.

Par ton écoute je tente de dire ma différence, j'essaie de me faire entendre surtout de moi-même. J'accède ainsi à une parole propre, celle dont j'ai été longtemps dépossédé.

Oh non, je n'ai pas besoin de conseils. Je peux agir par moi-même et aussi me tromper. Je ne suis pas impuissant, parfois démuni, découragé, hésitant, pas toujours impotent.

Si tu veux faire pour moi, tu contribues à ma peur, tu accentues mon inadéquation et peut-être renforces ma dépendance.

Quand je me sens écouté, je peux enfin m'entendre.

Quand je me sens écouté, je peux entrer en reliance. Etablir des ponts, des passerelles incertaines entre mon histoire et mes histoires. Relier des événements, des situations, des rencontres ou des émotions pour en faire la trame de mes interrogations. Pour tisser ainsi l'écoute de ma vie.

Oui ton écoute est passionnante. S'il te plaît, écoute et entends-moi.

Et si tu veux parler à ton tour, attends juste un instant que je puisse terminer et je t'écouterai à mon tour, mieux, surtout si je me suis senti entendu.

Je dirai mes mots-soleil
pour éclairer les ciels de pluie.

Je dirai mes mots-espoir
pour donner corps à l'avenir
et faire venir mes rêves au monde.

Je dirai mes mots-chagrin
au lieu de les vouloir cachés ;
je les tendrai vers le soleil,
ils finiront par s'éclairer
et ce jour-là je grandirai.

Je dirai mes mots-colère
pour refuser l'inacceptable
et peut-être le faire changer.

Je dirai mes mots-amour
ils ouvriront tant de chemins.

Je dirai mes mots-tendresse
pour arrêter un peu le temps,
pour des moments d'éternité
qu'il est si beau de partager.

Je dirai mes mots-tempête
pour secouer l'indifférence
et briser les murs du silence.

Je dirai mes mots-lumière
pour dire à tous ceux que j'aime
combien je les porte en moi.

Je dirai mes mots-attente
et j'y croirai tellement fort
que mes rêves descendront sur terre...

Sophie

PROLONGEMENTS (à un texte de Virginia Satir)

Je veux pouvoir t'aimer
sans m'agripper
t'apprécier sans te juger
te rejoindre sans t'envahir
t'inviter sans insistance
te laisser sans culpabilité
te critiquer sans te blâmer
t'aider sans te diminuer
       oui
tout cela et plus encore dans le respect de nos différences
et l'amplification de nos possibles
       oui
mais ce faisant
je prends le risque de mes imprudences
de toutes mes peurs anciennes
et le risque de tes réticences
Je prends le risque de mes contradictions
et le risque de tes déceptions
Je prends le risque de mes démesures
et le risque de tes blessures
Je prends le risque de te donner
plus que tu ne désires
et celui de recevoir moins que je ne voudrais
       à moins que cela ne soit l'inverse !
Je prends le risque du silence
celui de la parole,
de la distance
et celui des gestes proches
Je prends le risque de l'absence
et aussi celui du manque
Oui je prends même le risque
de te faire fuir
à (trop) ou à (mal) t'aimer.

Mais je ne prends pas le risque
de garder les fleurs fanées
de refuser les fleurs demandées
d'abîmer les fleurs reçues
et surtout
je ne prends pas le risque
de me renier
en reniant la vie
qui me contient.
Je peux ainsi rester moi, relié à toi
et peut-être toi reliée à moi... pour tant et tant de partages à vivre.

Texte écrit en collaboration avec Roselyne Piqué.

Quand la rencontre devient partage
et agrandissement de chacun.

Au face-à-face des jours
surgissent des instants précieux.
Tel ce moment reçu, agrandi,
inventé pour nous deux
à la rencontre de ce soir.

J'en veux garder plus loin la trace
bien au delà du souvenir.
Te rappelles-tu qui a proposé,
qui a invité ?
Et de quel événement passé
ou à venir
nous fêtons la présence ?
As-tu la souvenance encore
de cette envie
de nous retrouver en ce lieu
pour en cueillir le meilleur,
en savourer toute l'attente.

Nous nous sommes accordés au désir
de l'essentielle nourriture,
puis au plaisir des regards échangés,
à l'abandon des paroles offertes
et au reçu de la proximité fragile.
Nous avons partagé dans le secret des mots
et recréé en ces lieux une part de nos élans...

Voilà, nous reviendrons peut-être,
sûrement,
déposer encore un peu de chacun
dans un nous à poursuivre.

RECONNAITRE LES DIFFERENTS VISAGES DE LA TENDRESSE

Je voudrais également explorer les différents visages de la tendresse, sortir des préjugés, des lieux communs et plus simplement des habitudes.

> S'évader des relations en conserve
> pour accueillir l'instant.

Nous faisons trop souvent de la tendresse une chasse gardée, un domaine réservé. Nous faisons avec elle de l'élitisme. C'est certainement dans le domaine de la tendresse que nous vivons le plus d'auto-privation, que nous faisons le plus de rétention, bref nous sommes trop souvent, pardonnez-moi cette expression, des "constipés de la tendresse".

Pourtant, chacun a pu ressentir aux différents âges de son existence le besoin de tendresse. Je crois que nous pouvons reconnaître la tendresse à recevoir et à donner comme un de nos besoins fondamentaux, comme une de nos attentes vitales à l'égard d'autrui, à l'égard de la vie.

Bien sûr, nous connaissons tous des capitalistes de la tendresse qui n'en ont jamais assez et qui peuvent dépouiller sans vergogne les éternels prolétaires de l'affection.

Il y a ceux qui ne savent pas s'abandonner à l'imprévu et à la richesse des rencontres et qui consomment ou dispensent la tendresse avec prudence et parcimonie.

Il y a partout des affamés, des sous-alimentés, des boulimiques du coeur et des obèses de la demande. Ceux qui n'ont rien à donner que la violence et le désespoir de leur manque.

Peu d'entre nous sont capables de s'ouvrir et de recevoir dans l'abandon et la confiance, de se donner sans s'amoindrir, de vivre l'échange comme un partage et non comme une intrusion, un dû ou une perte.

> La tendresse c'est la possibilité de
> créer un espace où l'autre et moi-même
> peuvent accueillir l'enfant et le sage
> qui est en nous, le héros ou le prince
> qui nous habite, l'homme ou la femme
> éperdu qui se cherche en chacun.

> La tendresse c'est un geste
> qui devient caresse avant même
> d'avoir été reçu.

Nous voulons croire que la société de consommation dans laquelle nous vivons a pour finalité la satisfaction du plus grand nombre de besoins. Elle s'est spécialisée, à mon avis, dans la création de besoins nouveaux et donc sur le développement de la frustration et de la dépendance à l'égard de réponses espérées. Nous sommes censés être dans une société d'abondance : abondance d'informations, de stimulations sensorielles (images, sons, produits, objets) abondance de situations factices à "vivre joyeusement", abondance de possibles de toutes sortes. Mais je vois autour de moi une grande pauvreté au niveau relationnel, une espèce de désert affectif, un grand manque pour des relations de qualité et de convivialité.

> La tendresse, c'est ce qui confirme
> l'existence de l'autre comme
> une seconde peau nécessaire.

Je crois que beaucoup d'entre nous vivent dans une misère psychologique assez grande, dans un état de privation affective assez important et qu'il serait possible de s'autoriser à moins se priver, d'accepter de plus oser... pour soi.

La pire des privations c'est de ne pas savoir découvrir et utiliser le meilleur de nous-mêmes.

La pire des pauvretés n'est pas dans ce qui nous manque, mais dans l'ignorance de tout ce que nous avons.

> "Il y a la foule innombrable
> des plaintifs, des mal-aimés
> mais il y a surtout pléthore
> de mal-aimants."
>
> J. KELEN

Changements

Les murs ne sont pas toujours au dehors.

Dans tous les murs il y a une lézarde,
        dans toute lézarde, très vite,
        il y a un peu de terre,
dans cette terre la promesse d'un germe,
dans ce germe fragile, il y a l'espoir
d'une fleur
et dans cette fleur, la certitude
ensoleillée
        d'un pétale de liberté.

Oui la liberté est en germe même
dans les murs les plus hostiles.
La liberté peut naître d'une fissure,
d'une rupture,
d'un abandon.
Elle peut naître aussi d'une ouverture,
d'un mouvement
ou d'un élan de tendresse.
La liberté a de multiples visages,
elle est parfois la caresse d'un regard
qui a croisé le mien,
le rire d'une parole qui a transformé
la mienne
        pour en faire un chemin.

Les murs les plus cachés sont souvent au dedans
et dans ces murs aussi, il y a des lézardes...
        laisse pousser tes fleurs
        elles sont les germes
        de ta vie à venir.

LES OBSTACLES A LA TENDRESSE

C'est vrai qu'il y a des obstacles à la tendresse, beaucoup d'obstacles.

Je vais en énoncer quelques-uns, afin de mieux les reconnaître, les affronter et surtout les dépasser.

> La tendresse c'est un passage
> vers le multiple, vers l'abondance.

Les peurs

Les obstacles sont faits surtout de peurs, et ces peurs engendrent des censures et des interdits. Elles créent aussi des dettes, des culpabilités.

• Je citerai d'abord la peur du regard d'autrui. "Qu'est-ce qu'ils vont penser de moi, de l'autre... si je me laisse aller à exprimer des sentiments, des émotions, des élans ?" La crainte du regard qui risque de me juger, de m'étiqueter ou de m'enfermer dans un diagnostic reste souvent fortement ancrée en nous. Elle nous fait passer à côté d'une infinité de possibles. Dans les pays occidentaux, en effet, l'abandon est assimilé à une faiblesse et la tendresse associée au sentimentalisme. Et souvent les hommes, ainsi que de plus en plus de femmes, ne veulent pas passer pour faibles et sentimentaux.

• Un autre obstacle à la tendresse est la peur de l'érotisation de la relation. Dans l'expression de la tendresse c'est le toucher qui reste très censuré et souvent mal interprété. Tout se passe comme si notre code social réduisait la sensualité à la sexualité, et la sexualité elle-même à la génitalité. Par exemple, il est très difficile pour un homme, dans une rencontre, dans un échange, de poser les mains ou simplement de poser le regard sur le corps de l'autre sans que ce geste soit vécu comme une menace, une prise de possession ou une intrusion. Quand je marche dans la rue, si je regarde quelqu'un et que je vis en moi du plaisir, je sens peut-être un sourire qui vient, qui va traduire mon plaisir, mon bien-être... je vois alors cette personne se détourner ou même changer de trottoir.

C'est vrai j'ai été longtemps fasciné par les seins des femmes... je ne voyais que ça... juste sous leurs yeux et leur bouche, mais ce n'était pas pour tenter de les leur voler !

La peur de la séduction, de l'érotisation des relations pères-filles/mères-fils, sera par exemple à l'origine de certains "lumbagos affectifs" (1) des pères. Cette peur se développera au travers de certains interdits qui paraissent gratuits, excessifs ou injustifiés aux enfants qui les vivent et qui sont des façons déguisées pour les parents de se défendre d'une trop grande attirance envers ces mêmes enfants.

_____

(1) *Nous appelons lumbago affectif, ces douleurs du dos qui surgissent, chez certains pères, de la difficulté à s'approcher trop près du corps de leurs enfants devenus adolescents.*

> La tendresse ne comble jamais un vide,
> elle rejoint le germe d'un plein et
> s'agrandit ainsi
> pour devenir le soleil d'une rencontre.

• Un troisième obstacle à la tendresse, est la peur de la dépendance, "si je m'habitue, je vais en avoir besoin..., trop besoin et je risque de souffrir... si je suis privé..."

La tendresse est alors associée à la vulnérabilité... et la vulnérabilité confondue avec la fragilité. "Se laisser aller à demander, à reconnaître son besoin... c'est risquer d'être tributaire de l'autre, de perdre son autonomie, de lâcher le contrôle de soi et de la relation."
Cette peur de la dépendance est liée à la peur de l'abandon.
Ce mot abandon est suspect, ambigu.

Je crois que nous avons tous peur d'être abandonnés, d'être séparés, d'être rejetés.
La peur d'être abandonné rejoint celle de s'abandonner. Si je m'engage dans une relation, si je me laisse aller à vivre quelque chose d'intense, quelque chose de profond, je peux avoir en arrière-plan, cette double crainte : que l'autre puisse me trahir, abuser de moi, profiter de ma vulnérabilité ou qu'il puisse me rejeter, me quitter, en choisir un autre ou une autre.

Si je fais confiance à ce collègue en lui parlant de mes soucis personnels, ne va-t-il pas s'en servir contre moi ? Si je m'ouvre en toute sincérité à cet ami, que fera-t-il de mes confidences, comment les interprétera-t-il, les répétera-t-il ?

Si je me laisse aller à recevoir, à accueillir... et à trouver cela "trop bon" ne vais-je pas souffrir, devenir exigeant, possessif ou captatif.

> "Combien de mains fermées gisent au
> fond des poches, crispées sur des peurs
> si anciennes que le souvenir en est absent".

• Il y a aussi, la peur de l'intrusion : "Si je le laisse pénétrer dans mon intimité, dans mes besoins ... jusqu'où ira-t-il ?"

Et ainsi se développe la non-confiance en soi, et en l'autre. Il faudrait parler ici des ravages de la répression imaginaire, que nous exerçons contre nous-mêmes, en anticipant les conséquences les plus négatives au développement d'une relation, ou en prêtant à l'autre les pires intentions... alors que parfois il ne pense qu'à sa déclaration d'impôts, à son match de foot ou au prochain télé-film.

La répression imaginaire passe souvent par un désir déguisé de toute-puissance. Je vais penser (et parfois panser) pour l'autre ce qu'il va faire, dire ou imaginer. Une façon aussi de contrôler un possible changement dans une relation, de ne pas laisser surgir l'imprévisible de l'échange, l'attention d'un partage, la découverte d'un changement. Si nous pouvons ne pas penser à la place de l'autre, mais penser pour soi, en respectant à la fois son propre désir et les limites d'une réalité à vivre.

> "Il y a des mots noirs et blancs
> et d'autres qu'on vit
> quand on aime
> quand on souffre
> et qui deviennent de couleur".
>
> Jacques BREL

L'urgence et le stress

Outre les peurs, l'urgence peut aussi être un obstacle à la tendresse. Si je suis trop pris dans un désir ou dans une démarche urgente, je crois que je ne peux pas entrer dans la tendresse. Je vais surtout penser à capter l'autre, je vais essayer de le retenir, de le dévorer, de l'accaparer pour la satisfaction de mes propres besoins. Je tenterai de le mettre au service de mes demandes et je l'enfermerai peut-être dans mes peurs.

L'urgence et le stress sont liés à la façon de gérer le temps, d'accepter d'être au présent. Nous développerons plus tard ce thème en abordant les ennemis et les alliés à la tendresse.

Mais combien de soirées me suis-je gâchées en bousculant l'autre, en le pressant pour s'habiller, en le harcelant de demandes incongrues ou inadéquates, en l'enfermant dans mes inquiétudes, mes peurs de ne pas être à l'heure, de manquer ou d'oublier ceci ou cela.

La pression que je peux exercer sur mes proches à partir d'un désir, d'un projet ou d'une inquiétude risque de ne pas laisser suffisamment d'espace à la tendresse.

"Si je reçois le geste tendre dans le champ de la demande je suis comblé. Ce geste n'est-il pas comme un condensé miraculeux de la présence ? Mais si je le reçois (et ce peut être simultané) dans le champ du désir, je suis inquiet. La tendresse de droit n'est pas exclusive, et il me faut donc admettre que ce que je reçois, d'autres le reçoivent aussi (parfois le spectacle même m'en est donné)."

Roland BARTHES

Pour ton écoute, pour la patience de ton regard, pour ta main, pour ton sourire et surtout, surtout pour l'accueil de ton corps à l'imprévisible de l'instant, je t'offre mon goût du bonheur.

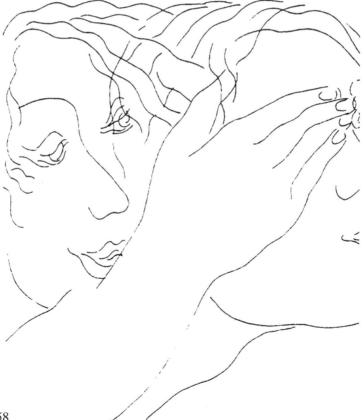

Appel

"A vous les hommes, je dis pliez, devenez ronds, laissez la connaissance vous submerger, vautrez-vous dans l'herbe, n'agissez plus, restez assis, fermez les yeux pour écouter le bruit de la danse des protons dans les galaxies lointaines, devenez entendants, c'est-à-dire muets.

Laissez renaître sur vos faces le sourire du poisson.

N'ayez pas le désespoir de vos ventres à jamais vides d'enfants. Votre force est de les avoir remplis ces ventres que vous n'aurez jamais.

Recouvrez de terre vos maisons de béton, laissez pousser l'herbe sur les toits.

Quand vos mains s'ouvriront, que vos richesses s'en échapperont et se disperseront sur la planète comme une goutte de lait dans un verre d'eau pure, alors vous pourrez commencer à vivre libres et l'étau qui vous broie la tête se dissoudra.

Votre crâne s'ouvrira, il pourra recevoir l'énergie, la dispenser, et les mots ne pourront plus rien dire de ce que vous éprouverez. A vous les femmes, je dis, par pitié pour les hommes, avouez-leur votre connaissance, pour qu'ils cessent de marcher à reculons et mettent enfin leur bateau dans le fleuve. Car vous savez beaucoup : comme eux vous avez été ce qui remplit le ventre, mais vous pouvez approcher la mort sans peur car vous pouvez être remplies. Voyez-les, eux, orphelins de votre puissance. Apprenez-leur à se fondre dans la matière, puisque la division de leurs corps leur a été refusée.

Depuis que l'histoire humaine sait se raconter, les hommes ont été chercher seuls et les femmes se riaient d'eux. Ils ont voulu trouver le chemin sans elles, ils étaient nus et abandonnés, ils haïssaient les femmes car ils voyaient bien qu'elles n'étaient jamais nues.

Leur tristesse et leur faiblesse ils l'ont appelée force, ils ont construit un monde à leur image, triste et faible. Ils vous ont tout volé, et pourtant vous n'étiez pas toujours nues.

Ils ont trouvé beaucoup de vérités, qui toutes aboutissent à la ligne courbe.

Maintenant, femmes, vous n'avez plus le droit de rire d'eux, car ils sont arrivés près de vous, plus nus que jamais.

Ne les laissez plus faire, ne soyez plus assises dans l'herbe avec vos sourires de poissons, construisez des maisons qui ressemblent enfin à l'univers.

Femmes, celui qui ne veut pas voir qui vous êtes, combattez-le avec violence, femmes, que celles d'entre vous qui laissent encore les hommes faire leurs meurtres soient maudites et crèvent dans la poussière, car le monde qui est à l'ordre du jour ne pourra se faire sans vous."

Coline SERREAU

LES ENNEMIS DE LA TENDRESSE

Au delà des obstacles il y a aussi les ennemis de la tendresse.

Certains messages relationnels

Le premier, le plus subtil peut-être des ennemis de la tendresse c'est l'inscription cachée au plus secret de nous, au plus profond, de certains messages "relationnels" reçus très tôt dans l'enfance. "Attention, méfie-toi des hommes" -"Il ne faut pas dire ses sentiments" -"Il n'est pas convenable de se laisser aller à parler de soi" -"C'est indécent de montrer ses émotions, pas de ça ici" -"On ne parle pas de ces choses-là" - "Il faut se montrer dur et fort, sinon on se fait avoir" -"Ne fais confiance à personne et méfie-toi de toi aussi" -"Il faut se débrouiller tout seul, ne pas avoir besoin des autres, on le paie trop cher autrement" -"Tu peux saluer les gens, mais si on te pose des questions sur nous, ne répond pas..."

Ces messages s'inscrivent dans le corps et l'imaginaire, ils vont constituer autant de censures, d'interdits et de blocages pour les relations à venir, et cela de façon d'autant plus forte qu'ils ont été énoncés comme allant de soi, comme une évidence à vivre.

"La petite Julie âgée de cinq ans pose des questions importantes à sa tante âgée de vingt-huit ans.
- Par où sort le sang ?
- Tu sais ça toi !
- Oui, oui, il y a les règles, même que Noémie la soeur d'Isabelle elle vient d'avoir ses règles. Sa maman a dit

"qu'elle est grande maintenant, qu'elle doit faire attention et ne plus jouer au ballon avec les garçons..."
- Ecoute Julie, moi je ne vais pas t'expliquer mais tu
peux regarder toi-même comment tu es faite.
Et la tante d'apporter un petit miroir qui permet à Julie
de s'examiner (1).
Mise en confiance Julie se regarde attentivement, puis
elle dit : "tu sais quand je me caresse là, c'est bon ici
(elle montre son clitoris). Sa tante lui confirme bien que
c'est un endroit de plaisir chez beaucoup de petites
filles et de femmes et que ça lui appartient, que c'est à
elle.
Alors Julie comme un petit diable sort de son bain et
court toute nue vers la cuisine en criant: "Maman,
maman, regarde j'ai un porte-bonheur là..."C'était un
mot merveilleux, mais la mère préoccupée (et je ne souhaite pas mettre en accusation cette femme, car elle
avait, elle, mille raisons peut-être, à sa non-disponibili-
té, à sa non-écoute) lui répond : "Porte-bonheur,
porte-bonheur, porte-malheur oui !"

Voilà, nous ne savons pas ce que deviendra Julie dans
quelques années. Est-ce le message de confirmation de la
tante qui s'est inscrit en elle et l'ouvrira aux plaisirs de la rencontre amoureuse ?
Est-ce la disqualification, la menace implicite de la mère qui
plus tard fermera, bloquera Julie aux approches du plaisir ?

---

*(1) Nous avons envie de conseiller à tous les gynécologues d'offrir un
petit miroir à leur patiente lors de la première consultation pour leur
permettre de se découvrir avec leurs propres yeux.*

Personne ne peut répondre. Mais ce que nous savons c'est que chacun d'entre nous engrange ainsi de multiples messages de confirmation, de négation ou de disqualification et qu'ils sont à l'oeuvre dans nos histoires, dans nos rencontres.

"Pour moi un enfant c'est une nouvelle tendresse qui vient au monde."

Stéphanie - 12 ans
qui devient la marraine de son cousin

Le ressentiment

Il y a aussi actualisé en chacun, et réactivé par la réalité dans la durée de toute relation, le ressentiment qui est issu du non-dit, des rancoeurs, des frustrations emmagasinées au cours des jours et qui n'ont pas fait l'objet d'une expression, d'un partage de ressentis.

Il s'agit en fait de "petits riens", de petits faits qui passent le plus souvent inaperçus ... chez celui qui les "produit" et qui sont "entendus" par l'autre comme une violence injuste, inacceptable.

- Tu ne fais rien de bon.
- Attention tu vas tomber, te faire mal, attraper froid.
- Tu ne sais pas te peigner comme il faut.
- Tu n'es jamais content.

Les frustrations sont restées dans les silences, dans les soumissions, dans les pseudo-acceptations et les fausses

révoltes, dans les velléités de changement aussi. Le ressentiment est comme un acide qui va corroder une relation, qui va
la dévitaliser et parfois la tuer. Nous ruminons pendant des
heures, des jours une réponse cinglante, une demande évi-
dente, une attente magique... que l'autre, la personne aimée,
devrait entendre sans qu'on lui demande !

> "C'est incroyable quand même qu'il/elle n'entende pas
> les demandes que je ne lui fais pas !!!"
> "Il/elle ne fait jamais rien pour me satisfaire... moi que
> rien ne satisfait ! "

Le ressentiment conjugal ou parental est souvent lié à
des demandes implicites, qui vont de soi... et qui font l'objet
d'une communication indirecte, en dehors de la présence de
la personne concernée.

> "Elle devrait bien comprendre que j'ai envie de la voir
> plus souvent, ce n'est pas à moi de lui demander, non !"
> (Une mère pensant à sa fille).
> "Ils devraient savoir (mes parents) que je travaille dix
> heures par jour, donc que je n'ai pas le temps d'écrire ou
> de téléphoner."

Les demandes implicites adressées aux enfants sont
incalculables. Elles se logent dans tous les méandres et les
labyrinthes de l'imaginaire parental, maternel et paternel.

La somme de ces attentes : "fais ceci - sois cela" est
telle que parfois le désir de l'enfant ne trouve pas sa place. Il
est confondu avec celui des parents, et sa passivité grandit ce
qui augmente encore la pression de l'entourage. Cycle sans
fin, sans cesse renouvelé, alimenté, où la tendresse ne peut
trouver ni sa place, ni son expression.

Le pire des ressentiments disait ma grand mère "c'est quand on n'arrive même pas à pardonner à l'autre... le mal qu'on lui a fait par son silence".

A tout cela va s'ajouter, de façon insidieuse, l'impitoyable comptabilité affective : des livres de compte cachés mais incroyablement précis qui se tiennent dans les relations instituées dans la durée (parentales, conjugales, amicales ou professionnelles). "Je tiens soigneusement à jour tout ce que j'ai fait pour l'autre et tout ce qu'il n'a pas fait pour moi." Et cela entraîne des reproches explicites ou implicites, porteurs de culpabilité. Les relations parentales sont très chargées de cette comptabilité. La mythologie du devoir, du dû, crée ainsi des dettes, des fidélités invisibles qui attachent longtemps les enfants aux parents... et ceux-ci à ceux-là.

Cette comptabilité est basée sur un double axiome :
La souffrance et les mérites donnent des droits.
Les privilèges supposent des devoirs (ce qui crée des dettes).

" J'ai travaillé pendant que tu faisais tes études... j'ai bien le droit maintenant de te faire des reproches, celui de trop travailler, de ne pas t'occuper assez de moi..."

" Tu as le privilège de ne pas avoir d'enfants, alors tu devrais t'occuper de notre mère plus souvent..."

" Il ne faut jamais prêter de la
tendresse, mais seulement la donner
sinon ça fait trop mal."

Corinne -16 ans

Le mythe de la réciprocité

Dans beaucoup de relations, il y a le mythe de la réciprocité :

"Puisque j'ai fait cela pour toi, j'attends la même chose : écoute, attention, tolérance ..."

"Il a été malade et elle s'est beaucoup occupé de lui. Quelques années après elle tombe malade et... il ne veut pas s'occuper d'elle, il n'a jamais eu autant de travail, etc."

La réciprocité se vit de façon dissemblable à cause justement des sensibilités, d'histoires personnelles différentes... Souhaiter la réciprocité, c'est attendre que l'autre ait les mêmes espérances que moi.

Cette recherche d'une réciprocité semblable mène à de grandes déceptions. Car seule une réciprocité dissemblable est possible : c'est dans un autre registre, le sien, que l'autre propose ce qu'il a à m'offrir. Cette différence -l'autre n'est pas moi, ne fait pas et ne sent pas comme moi- est infiniment difficile à accepter, à reconnaître parfois, à comprendre, surtout lorsqu'il s'agit des sentiments. Cet aspect se développe sous forme de jalousie -"Il a fait, il a dit à d'autres ce qu'il ne dit pas, ne fait pas avec moi."

Le mythe de la réciprocité semblable se complique encore avec l'enchevêtrement du donner et du recevoir. Il introduit le sentiment de "devoir rendre" et la notion d'un dû. Les pièges sont infinis, car ce qui est dû ne peut être donné ni offert -on ne peut que s'en acquitter ou le prendre.

> " Le bonheur de quelqu'un d'autre
> est parfois une insolence pour soi. "
>
> Pascale ROUY

Le terrorisme relationnel

Un autre ennemi redoutable de la tendresse sera le terrorisme relationnel.

Si le terrorisme le plus sanglant se passe rue de Rennes à Paris ou au Liban, le plus meurtrier se vit souvent juste à côté de nous, à la table familiale, dans le lit conjugal, dans les voitures qui descendent vers le soleil des vacances, dans l'atelier ou le bureau où nous passons le tiers de nos journées, dans un parking ou même un hôpital (quand telle femme se réveille après une intervention chirurgicale avec un sein en moins, l'utérus enlevé. Qui dira jamais combien ce mot "la totale" est d'une violence infinie...)

Le terrorisme conjugal qui ne fait pas de bruit, qui se tait, qui s'excuse ou se justifie... et s'entretient ainsi longtemps, longtemps dans une vie, qui se perd à se chercher dans les désirs et les attentes de l'autre.

"Regarde comme je t'aime, je fais tout pour toi. Je ne fais rien pour moi".

Hélas ce "je fais tout" veut dire aussi "tu n'as rien à faire, n'existe pas ou n'existe que pour moi..."

Cela se passe aussi dans des scènes banales où seront niés les sentiments et les émotions de l'autre.

La petite fille: j'ai peur d'être seule maman.
La mère : mais non tu es grande, tu as un papa et une maman qui sont là.
La petite fille : j'ai peur quand même maman.
La mère : mais non tu n'as pas de raisons d'avoir peur, calme-toi et arrête de dire des bêtises...

Oui le terrorisme relationnel à base d'exigences, d'obligations, de faux contrats est surtout une façon de prendre (et de garder) le pouvoir sur l'autre. Il consiste à vouloir garder la position haute (être celui qui a l'influence). Nous cherchons à définir pour l'autre la relation qu'il doit avoir pour nous satisfaire, comment il doit se comporter ou vivre. Nous pensons à sa place ce qui est bon pour lui, nous lui dictons ce qu'il doit sentir, éprouver, penser, faire... ou avoir.

Le terrorisme le plus contraignant et le plus difficile à affronter est celui du "porteur de vérité".Quand dans une relation un des partenaires se croit dans la vérité, car il a transformé ses croyances en certitudes, quand il détient le bon et le beau rôle, la bonne position.

" Mais enfin tu sais bien que c'est moi qui ai raison !"
" Tu sais bien que tu as tort."

Ce terrorisme-là fait appel à la logique de la raison, à la logique du devoir, du bon droit sur le réel de l'autre, c'est-à-dire sur sa subjectivité, sur son vécu, sur son système de valeur différent.

La tendresse c'est l'écoute
de la différence.

Le terrorisme relationnel, c'est l'ensemble de toutes les violences visibles ou invisibles, exercées au nom de l'amour ou de la peur sur les sentiments, les comportements ou le désir différent d'un autre.

"La tendresse c'est quand la solitude prend un goût de chocolat."

Fabien -14 ans

Terrorisme fondé à partir d'un désir sur l'autre

"Si tu ne te comportes pas comme les autres, alors tu n'as pas ta place parmi nous" (terrorisme social).
"Tu dois avoir du désir quand j'en ai, sinon tu n'es pas normale"(terrorisme sexuel).
"Si tu n'es pas du même avis que moi... c'est que tu ne m'aimes pas" (terrorisme affectif).

Ce dernier aspect introduit la notion de menace permanente sur la durée et l'intensité des sentiments. Chaque fois qu'il y a une divergence, une différenciation possible, tout se passe comme si le devenir de l'amour et la qualité des sentiments étaient remis en cause.

Dans le domaine familial cela donne :

"Tu dois être sensible à notre tradition familiale de nous réunir aux anniversaires de mes parents..."
"Tu dois aimer ma mère et même le foot-ball... ou le bon plat que je t'ai préparé..."
"Tu dois apprécier les films que j'aime, les livres que je lis et en plus les loisirs... que je pratique."
"Tu devrais t'habiller ainsi, te coiffer comme cela, perdre des kilos..."
"Tu n'as pas besoin de travailler, de faire des études, ça sert à quoi..."
"Tu n'es pas normal si tu n'aimes pas faire l'amour dans la journée."
"Tu te comportes comme un homme en voulant réussir dans ton travail..."

Dans le domaine des relations sociales plus élargies, cela peut donner:

"Tu dois avoir la même opinion que moi sur notre collègue, notre chef de service (avec le sentiment d'être trahi si tu l'apprécies alors que moi je le déteste !"
"Tu ne peux trahir tes origines en ayant des opinions de gauche (ou de droite), en fréquentant des gens comme ça !"

Il ne sera jamais assez dit sur ces violences qui s'exercent avec les meilleures intentions du monde, qui font référence à des systèmes de valeur, à des croyances, à des certitudes, à toutes les mythologies personnelles avec lesquelles nous allons tenter de définir l'autre. Combien de temps mettrons-nous à entendre qu'une phrase aussi banale que "fais ce que tu veux" contient une charge de violence inouïe.

"Que faisons-nous dimanche après-midi ?"
-"Ce que tu veux !"
-"Nous pouvons aller aux champignons"
-"Si ça te fait plaisir..."
-"Bon alors on pourrait y aller en voiture"
-"Si ça t'arrange..."

Ou encore "fais ce que tu veux... mais tu ne viendras pas te plaindre à moi."
- "Fais ce que tu veux...mais je t'aurai averti."
-"C'est pour ton bien, il vaut mieux que tu ne fréquentes plus ce camarade."
-"Cette fille (ce garçon) n'est pas pour toi... tu sais d'où il (elle) vient !"

Le terrorisme relationnel est à l'origine de beaucoup de somatisations. Violence du corps qui se rebelle, violence de l'organisme qui se débat coincé entre des injonctions, des interdits, des obligations. Combien de maladies vont être l'expression "hurlée" de violences relationnelles subies, exercées par nos proches.

> "Quand on sait la donner et qu'on accepte de la recevoir, on s'aperçoit qu'elle est partout présente, chez un chien, un ami, une inconnue.
> C'est la seule valeur sûre au marché du sentiment. N'étant pas intéressée, elle est incapable de calcul.
> Elle ne demande rien, elle n'attend rien.
> Elle se suffit à elle-même.
> Nous sommes des navires partant tous ensemble pêcher la tendresse."
>
> Jacques BREL

Terrorisme fondé sur les peurs

Quand je veux faire entrer l'autre dans mes peurs ou dans mes angoisses, quand je considère comme une preuve d'amour qu'il soit en souci quand je le suis, qu'il soit malheureux quand je me sens malheureux, qu'il ait peur quand je tremble.

Quand je ne sais pas m'occuper de mes peurs, leur donner une place et que je vais sans cesse les "jeter" sur l'autre.

"J'ai peur que tu maigrisses, mange".
"J'ai peur que tu attrapes froid, couvre-toi, ne sors pas comme ça."

"J'ai peur que tu me quittes, que tu ne m'aimes pas assez... alors je vais te faire la guerre pour avoir la preuve renouvelée de ton amour."

"J'ai peur de ne pas être parfait, car au fond de moi j'ai la certitude qu'il faut être parfait pour être aimé... alors je vais chercher toutes les failles, tous les manques, toutes les erreurs qu'il y a chez toi... et bien sûr te décourager de continuer à m'aimer!"

C'est ainsi que se développera dans certaines relations une angoisse latente, une incertitude sur la valeur, la durée, la qualité des sentiments proposés. Cette inquiétude comme une plante parasitaire ne permettra pas à la tendresse d'éclore, de s'épanouir entre deux êtres qui pourtant s'aiment, se cherchent et se désirent.

La tendresse est le contraire de la passivité, elle peut devenir révolte.
Elle devient alors le grondement sourd de la vie, le mouvement irrésistible pour un changement.
"Et la révolte, pourquoi les hommes se révoltent-ils ? Pour trouver la beauté, soit dans la vie, soit dans la mort."

Le Mahabharata

Pour la minute de Paix offerte chaque année aux enfants
du Monde

A toi enfant du monde.

En t'offrant
une minute de paix
à Toi, enfant du monde
c'est un rire d'avenir
que je dépose
en attente.

En te donnant
une minute de paix
à Toi, enfant du monde
c'est une éternité de vie
que je bâtis
contre la violence du temps.

En partageant
avec Toi, enfant du monde
une minute de paix
c'est un élan d'amour
que je tisse
aux horizons des différences.

En inventant
pour Toi, enfant du monde
une minute de paix
c'est un geste d'espoir
que j'agrandis
pour préserver plus de vie.

Le temps ou la fuite du temps

Un autre ennemi de la tendresse est la vitesse et la fuite effroyable du temps.

Quand nous sommes pressés par le temps, bousculés par un projet, oppressés par une urgence... il nous sera quasi impossible de témoigner ou de recevoir de la tendresse.

"Je l'avais invitée au restaurant et au spectacle. Mais j'étais en retard. En roulant un peu vite pour la rejoindre... plus vite, j'ai heurté violemment un trottoir. Plus loin je l'ai vue, elle m'attendait déjà. Quand je suis sorti de la voiture, je me suis précipité pour vérifier les dégâts sur mon pneu. Ouf, il n'avait rien.
Et quand, souriant, je me suis retourné vers elle pour la prendre dans mes bras... elle s'est détournée, courroucée. Elle est devenue comme un glaçon et moi... un idiot. Pendant toute la soirée, elle m'a certifié que certainement mon pneu était plus intéressant et plus important qu'elle..."

Notre capacité à mieux gérer le temps, à mieux disposer de cet espace de vie étalonné sous forme de journées et de nuits sera un des alliés possibles à la tendresse.

> " La mer ne reflète la lumière
> que lorsqu'elle est apaisée."

Laissez vivre l'enfant-tendresse

La tendresse
Tu la portes au plus profond de Toi
en germe,
en promesse,
en possible.

Elle est cet arbre qui s'enracine
si loin
au fond de ton coeur
et qui se nourrit
de ta chaleur
et de ta vie;
elle est le fruit qui mûrit
chaque jour,
lentement
au soleil de ton amour.

Et toi seul peut inventer
le geste,
le mot,
le regard
qui la fera exister
ou qui lui refusera la vie,
Toi seul peux choisir
de lui donner le jour
ou la nuit,

de lui donner des ailes
pour qu'elle s'envole comme un
oiseau,

ou de l'enfouir
dans une terre d'oubli.

Tu la tiens dans ta main
comme une larme
de cristal;

Elle est le regard
Toi, Tu as les yeux,
Elle est le temps
Toi, Tu es sablier,
Elle est la caresse
Toi, Tu es la main,
Elle est ce que tu portes
un peu comme un enfant,
Et Tu es sa respiration,
Et Tu es le bruit de son coeur,
Et Tu es le son de sa voix...

Sophie.

La tendresse avec soi-même serait d'accepter de
laisser venir tout regard, tout geste, toute parole,
tout événement comme une stimulation de la vie.

"Apprendre aux femmes,
oui apprendre à oser pousser,
à laisser grandir et sortir leur
sexe nénuphar.

Et apprendre aux hommes à appeler,
à apprivoiser,
à inviter cette algue fragile,
profonde,

à venir jusqu'au bord,
à venir éclore en surface

pour lui permettre de fleurir là,
au bord de la faille lumineuse et ombrée,
à fleur de lèvres,

plutôt que de pousser,
d'acculer à l'intérieur,
de traquer avec leur sexe torrent.

Qui leur a dit d'ailleurs de forcer.

Qui leur a appris à s'enfouir ainsi,
à labourer,
à écraser toute cette vie secrète

qui demande lumière..."

(Anonyme)

LES ALLIES DE LA TENDRESSE

> "Attention l'homme moderne est mononucléaire,
> la tendresse est menacée d'onanisme ou de minitel. Il est bien temps qu'elle se réveille".
>
> L'Illustré N° 11/1988

Recevoir

Un des premiers alliés de la tendresse sera l'aptitude au recevoir. C'est souvent une aptitude déficitaire en nous et c'est par une meilleure écoute de nos besoins et de nos peurs que nous pouvons conforter nos possibilités d'accueillir. Nous développons parfois des contre-attitudes qui consistent à minimiser le recevoir positif, ou à le transformer en "prendre" et à répondre à ce qui est offert par des plaintes et des reproches, ou par de nouvelles exigences.

"Je trouve que tu as de jolis yeux ce matin !
- Ah c'est aujourd'hui que tu t'en aperçois!"

"J'ai beaucoup apprécié votre intervention et votre efficacité lors de ce conflit...
- Alors vous allez enfin m'augmenter !"

Nous disqualifions trop souvent l'offrande.

"Ce corsage te va à ravir.
- Oh ce n'est rien je l'ai acheté en solde."

Quand nous acceptons de recevoir -disait ma grand mère- nous avons moins besoin de demander ou de prendre.

Le degré de maturation le plus achevé du recevoir, c'est d'accueillir. Accueillir dans le oui, dans l'acceptation de ce que je suis, de ce que l'autre est pour moi.

> Ce rire sans retenue
> Ce câlin léger
> Ce goût de la caresse
> qui fait vaciller légèrement le sol
> sous les pieds, voilà la tendresse
> dans l'amour.

Le mot OUI est certainement le mot le plus vivant, le plus vital, le plus essentiel du langage au quotidien. Il ne s'agit pas là d'un oui d'accord, mais du oui de confirmation. Un oui qui reconnaît, qui confirme le point de vue de l'autre, qui lui dit : "Oui, j'ai entendu que tu apprécies mon intervention, que tu trouves mon corsage beau." Un oui qui accueille et rejoint l'autre là où il est avec ce que je suis.

> "Ce n'était rien qu'un peu de pain
> mais il m'avait chauffé le coeur
> et dans mon âme il brille encore
> à la manière d'un grand soleil."
>
> G. BRASSENS

Le besoin de temps

Un autre allié important sera l'anti-vitesse. En effet, la tendresse a besoin de temps. Est-ce que j'accepte de prendre suffisamment de temps quand j'arrive chez moi pour l'accueillir ou la recevoir ?

Si je vis avec une partenaire, est-ce que je prends le temps de déposer mes bagages à la porte de façon à venir les deux mains libres, même si ma grand-mère disait : "à quoi bon remettre à deux mains ce qu'on peut faire avec une !"

J'ai mis des années à apprendre quelque chose d'aussi simple : poser mes bagages et accepter de prendre le temps de se retrouver ou de se quitter.

Car ce sont des moments (séparations et retrouvailles) qui colorent la qualité d'une journée... et font la différence.

Je vous invite réellement à faire cela si vous le pouvez ou le souhaitez. Par exemple, quand vous embrasserez quelqu'un prenez le temps de vous arrêter. Combien je vois de baisers qui n'arrivent pas. Je vois deux personnes qui s'approchent et qui se manquent, qui tentent une accolade ou un baiser qui se perdra dans le vide. Il y en a un qui est déjà parti alors que l'autre avec tout son corps est en train de donner. J'appelle cela le "baiser du missionnaire" celui qui tombe à côté, qui se perd dans le vide au lieu d'être reçu, accueilli.

Est-ce qu'il est possible de prendre trente secondes pour recevoir, non pour prendre. Pour donner, non pour imposer. C'est très peu trente secondes et en même temps c'est énorme. Prendre le temps de s'arrêter vraiment, de se poser, de s'ancrer les deux pieds au sol, pour s'inscrire dans l'instant présent.

> La tendresse est simultanément
> don et accueil.

Car la tendresse c'est aussi accepter d'être dans le présent.

Le mot présent a d'ailleurs beaucoup de significations. Est-ce que je peux accepter d'être présent pour l'autre ? Etre réel dans l'ici et maintenant d'une relation. C'est aussi développer cette capacité à n'être ni dans l'amertume, le regret ou la nostalgie du passé, ni dans l'anticipation idéalisée ou persécutoire du futur. C'est accepter vraiment d'être là où je suis.

Je peux être plus dans le présent en acceptant de vivre au niveau de chacun de mes sens. La tendresse est un état et parfois une activité qui se vit à l'aide de tous les sens, les mobilise et s'appuie sur eux.

Ce sera, bien sûr, le toucher, le regard, l'ouïe, l'odorat et le goût mais aussi des sensations archaïques comme la respiration (le premier des langages en venant au monde) - la détente musculaire- le rythme et les énergies hautes et basses qui circulent en nous.

> "Il faut parfois s'endurcir et ne jamais oublier la tendresse."
>
> Che GUEVARRA

Le besoin d'espace

Si la tendresse a besoin de temps, elle a aussi besoin d'espace. C'est la possibilité au delà de la rencontre de créer son territoire. Regardez dans la rue ou dans un lieu public, les amoureux qui se rencontrent, s'embrassent, sont comme dans une bulle d'intimité... au milieu d'une foule.

La tendresse sera la possibilité de reconnaître à l'autre un espace à lui, dans lequel nous ne ferons pas intrusion sans son invitation.

Pouvoir se donner à chacun un espace au quotidien, un territoire à respecter, une distance suffisante pour pouvoir se reconnaître et se rencontrer sans se piétiner. Il ne faut pas confondre non plus intimité et enfermement.

Nous pouvons créer un espace d'intimité au cours d'un repas de vingt personnes, par un regard, une attention, un geste.

La tendresse passera par l'intensité et la qualité de l'attention offerte au moment le plus inattendu, dans la gratuité d'un instant.

"J'étais assis dans un tramway lausannois, quand est venu s'asseoir près de moi un employé des tramways, qui s'est mis à lire une Bible avec beaucoup d'attention. Il suivait les lignes fines et serrées du texte en s'aidant d'une vieille carte postale. A un moment donné, il a levé les yeux, s'est tourné vers moi, m'a regardé longuement, émergeant de son monde, puis m'a souri, familier et bienveillant. J'ai été très touché par la qualité de ce sourire. Comme si cet homme était heureux de me trouver tout proche à côté de lui, ce jour là."

Inventer de nouvelles formes de relation

Nous avons à inventer de nouvelles formes de relations et ne pas rester bloqué dans des approches stéréotypées, en conserve ou simplement périmées.

Cette jeune femme, mère-célibataire, après l'abandon du père de son enfant avait mis une annonce ainsi libellée : "Cherche père de remplacement pour s'occuper seul, d'un bébé deux soirées par semaine. Repas, atmosphère chaude en échange. Régularité sur un an souhaitée."

Elle avait trouvé un homme qui s'était ainsi engagé à vivre ce moment de tendresse à partager avec un bébé de huit mois, et une des deux soirées elle sortait seule pour s'aérer, pour aller au cinéma ou suivre des cours du soir.

Cette femme seule racontait qu'un soir de printemps, un peu cafardeuse, elle était allée se promener en ville, puis était entrée dans un café "et contrairement à ce que je faisais d'habitude, j'ai osé demander à m'asseoir à une table où il y avait déjà quelqu'un -et cet homme m'a dit : "nous ne sommes pas le 24 décembre pourtant - quel cadeau vous me faites". Nous avons parlé ainsi plus de cinq heures. Je n'ai jamais revu cet homme mais quelle belle soirée j'ai passée..."

Je rêve d'avoir le temps
D'embrasser tendrement
Chacune des jeunes filles et des femmes
Qui m'écoutent ce soir.
Je rêve de passer ma vie
A aller rendre visite
A tout un chacun chez lui
A l'écouter
Je rêve de m'asseoir dans les fauteuils
De tout le monde.

Julos BEAUCARNE

Entre la provocation et le retrait il y a bien des formes possibles pour oser se rencontrer, pour inventer le partage, pour découvrir à deux ou à plusieurs le possible d'un instant.

"Cherche tendresse naturelle désespérément."

Petite annonce.

Les personnes âgées qui sont souvent seules, coupées des relations qui ont nourri leur vie, inventent, elles aussi, de nouvelles formes de communication par des clubs du troisième âge, par des activités de rencontre, par la mise en mots de leur demande.

"J'avoue que j'ai une petite idée fixe : je crois que

POUVOIR SE PARLER
DEVRAIT ETRE LA CHOSE LA PLUS NATURELLE DU MONDE

C'est une contradiction étonnante de notre époque dite de "communication" que la technique offre toutes sortes de prouesses, mais que c'est la forme la plus simple et la plus nécessaire des contacts humains qui manque : la conversation. Des millions de gens ont l'impression de n'avoir personne à qui parler et plus on est entouré de monde plus on se sent seul. Adresser la parole à un(e) inconnu(e), ça ne se fait pas... Bien sûr, il y a des exceptions, mais elles confirment la règle et les "courageux" ou "courageuses" risquent une réaction désagréable. Même leur sourire est suspect aux yeux de certains : "Mais qu'est-ce qu'il veut?" ou "qu'est-ce qu'elle veut?" se demandent-ils avec méfiance...

Voici la réponse à cette question - je la donne au nom de ceux et de celles qui aiment bavarder : Quelquefois nous voulons parler avec quelqu'un, faire connaissance et échanger quelques idées... Nous avons envie de nous exprimer et d'écouter les autres sans autre but que le plaisir de la rencontre. Nous voulons sentir que nous faisons partie de la grande famille humaine et que nous sommes ni isolés ni exclus... Et nous ne voulons pas être regardés de travers pour cela !

Pour créer la possibilité de telles rencontres improvisées, il faudrait introduire une nouvelle habitude dans la vie sociale. Dans certains lieux publics on désignerait des

POINTS DE CONVERSATION

et là on pourrait librement s'adresser la parole. (Quelques pancartes suffiraient pour cela), des TABLES, des BANCS, des COINS DE CONVERSATION, dans les cafés, les restaurants, dans les parcs, le long des plages, dans les théâtres et autres salles de spectacle ou de réunions, partout où il y a beaucoup de monde ensemble...

Une fois admis que si l'on veut on peut se parler, il y aurait une "explosion de sociabilité"... les présentations ne seraient pas nécessaires... on pourrait dire son nom quand on veut... Ainsi on retrouverait un peu de cette spontanéité qui manque tellement aux habitants des villes.

La mise en pratique de cette idée ne coûterait rien et elle rendrait les gens un peu plus heureux... il suffirait de le vouloir...

Moi, je veux bien. Et vous ?"

Lily KENASI

Et je fais le pari que si des bancs de conversation étaient installés (et financés dans certaines villes... par la sécurité sociale par exemple) les frais de santé baisseraient de façon sensible.

Oui je crois qu'il y a encore beaucoup de formes de relations à inventer.

Le respect

Un autre des alliés de la tendresse, c'est le respect, et peut-être surtout le respect que je peux avoir à l'égard de moi-même. Est-ce que j'accepte de me respecter, de m'aimer?

De quelle façon est-ce que je me regarde le matin dans ma glace ? Avec indifférence, mépris, lassitude, fatigue ? M'arrive-t-il de me réveiller avec des yeux émerveillés, étonnés ?

"J'ai cinquante-deux ans cette année et j'ai le sentiment de n'avoir jamais été aussi jeune, de n'être jamais entré chaque jour dans la vie avec autant de plaisir et de fougue... J'espère que les cinquante prochaines années seront pleines de découvertes..."

La tendresse est le génie de l'amour, elle improvise toujours. C'est elle qui donne au silence entre deux êtres le trésor des communications intuitives.

> L'amour crée la tendresse
> qui survit à l'amour.

La croissance mutuelle

La tendresse suppose aussi le souci d'une croissance mutuelle. Nous sommes des êtres en évolution et nous avons toujours la possibilité de croître et de grandir l'un par l'autre. Car nous ne sommes pas nécessairement responsables de la croissance de l'autre.

Je risque de blesser certains de ceux qui me liront et qui adhèrent avec Saint-Exupéry aux paroles du renard : "tu es responsable de qui tu apprivoises..." Non, pas du tout, cela je ne le crois plus. Nous restons responsables des sentiments que nous éprouvons. Si je me laisse apprivoiser, je peux assumer la perte de mon indépendance.

Si je souffre du comportement de l'autre, si je me persé-
cute à cause des sentiments différents qu'il a, c'est à moi de
faire quelque chose sur moi... et pour moi.

Cette découverte est une des choses les plus éprou-
vantes que nous puissions faire : renoncer à accuser l'autre, à
le rendre responsable de nos malheurs, accepter que ce que
j'éprouve, c'est moi qui l'éprouve.

L'humour

Il y a de la tendresse dans cette capacité à rire de soi, à
retrouver une émotion positive dans les situations qui n'en
supposaient pas. L'humour, à la différence de l'ironie ne se
moque pas, ne disqualifie pas, donne un autre visage à l'événement. Introduire le rire pour ne pas s'enfermer dans le
morose, dans l'accablant, introduire le rire pour se prolonger
vers le plaisir.

Cette ex-petite fille de... trente-cinq ans se souvient
encore de la voix de son père, depuis longtemps décédé, qui
s'écriait chaque fois qu'elle riait -"tu ris comme un mouton"-
Elle s'entendait dire à sa propre fille de trois ans -"toi aussi
tu ris comme un mouton!"

L'écoute de la différence

Dans ma perspective de participer à la croissance de
l'autre sans renoncer à la sienne, il y a surtout une attitude de
base, l'écoute de la différence.

> "Le geste tendre dit demande moi quoi que ce soit qui puisse endormir ton corps, mais n'oublie pas que je te désire, un peu, légèrement sans vouloir rien saisir tout de suite."
>
> R. MUSIL

L'autre est fondamentalement différent de moi, ce qui veut dire qu'il ressent, éprouve, vit sur d'autres références, d'autres registres que les miens.

C'est pour cela que dans un échange proche, le témoignage du vécu, des émotions et de l'expression des sentiments ne devraient pas être discutés, contestés ou disqualifiés.

La tendresse usera d'un pouvoir positif, celui de confirmer l'autre. De le confirmer justement dans ce vécu, dans son ressenti.

> "Ce que tu as senti l'autre jour, ce que tu as éprouvé, c'est bien toi qui l'as vécu, c'est à toi. Oui, tu es en colère. Oui, tu te sens triste ce soir..."
> "Ce plaisir que tu as eu, c'est le tien et la joie qui t'habite n'appartient qu'à toi..."

> La tendresse, c'est entendre
> quand les caresses ne sont pas mûres.

Nous aurons une illustration des dégâts de la non-différenciation, à propos des relations sexuelles. Nous savons combien dans ce domaine la non-écoute de la différence peut entraîner de souffrances, de blessures, de non-dits. L'acceptation de rythmes différents, de désirs alternés, de sensibilités autres et surtout d'une parole qui s'échange justement sur ce vécu.

"Quand je te dis que je n'ai pas envie de faire l'amour, cela ne veut pas dire que tu dois t'arrêter brusquement de me caresser pour te retourner violemment contre le mur, en tirant rageusement les couvertures à toi, ou en prenant avec beaucoup de décision "Jours de France" pour lire les amours idylliques des princes et des reines... Ou te mettre à lire avec une assiduité tyrannique "l'Expansion" et tout savoir sur l'extraordinaire déficit de la balance commerciale américaine."

Elle pourrait lui dire:

"Quand je ne souhaite pas être pénétrée, cela ne veut pas dire que je ne veux rien... Nous pouvons faire et vivre beaucoup de choses, avec tout le reste..."

> Si tu ne sais que faire de tes mains
> transforme-les en tendresse
>   (disait ma grand-mère).

La sécurité

La tendresse suppose la sécurité à court terme, c'est-à-dire la capacité à s'engager dans l'instant. Si je lui dis "je t'aime" cela ne veut pas dire que je n'aime qu'elle et que je l'aimerai encore dans dix ans... La seule chose dont je me sente sûr, c'est de mes sentiments actuels. Et cela signifie aussi "je t'aime telle que tu es..."

La sécurité de l'instant nous est donnée quand nous sentons l'autre au présent, engagé avec tout son corps et ses possibles, entier dans la relation.

Mettre en mots

Pour encourager tous les alliés de la tendresse nous pouvons aussi nous appuyer sur une de nos ressources les plus importantes: celle de dire, donc de se dire, celle de nommer les choses, les situations ou les événements, en utilisant les mots non comme une menace, non pour inquiéter ou interdire, mais au contraire en les utilisant pour se présenter au monde, pour se signifier, pour permettre à chacun de se prolonger bien au delà de son univers personnel vers l'infini de la vie, vers toute l'aventure d'une relation.

"Lorsque Marine, une de mes filles, est venue me rendre visite, accompagnée de son enfant Laura, alors âgée de quatorze mois, j'ai entendu ce dialogue: La mère faisait visiter la maison à l'enfant, lui décrivant les lieux et les objets de sa propre enfance, lui disant des souvenirs et puis en passant du salon au séjour, où il y a une marche à descendre, j'ai entendu cette femme dire à Laura "tu vois il y a une marche". L'enfant a levé la tête... vers la mère, puis a levé son pied et... a passé la marche sans encombre. Je me suis entendu dire quelque vingt-trois ans avant, à la même, avec un ton presque accusateur "attention il y a une marche..."

Oui, comment utilisons-nous les mots ? pour menacer, accuser, se plaindre, présenter l'aspect négatif du monde et de la vie! Ou pour mettre en relation, pour autoriser (rendre auteur), pour prolonger l'événement...

Cette mise en mots est importante pour accepter de se définir, de se signifier à l'autre, au lieu de se laisser définir par lui, c'est-à-dire trop souvent par ses désirs ou ses peurs.

L'écoute tolérante
est une des formes de la tendresse.

Cette femme de trente ans racontera ce qui s'est passé pour elle à la maternité après la naissance de sa fille Juliette âgée seulement de dix heures: Je vis entrer dans ma chambre un monsieur en blouse blanche qui se présenta -"je suis le docteur X... pédiatre."
Il s'approcha du berceau, regarda la fiche et tout de suite s'adressa à ma fille. "Alors tu t'appelles Juliette, tu es donc une fille. Je suis là pour t'examiner et confirmer si tu as tout ce qu'il te faut pour te développer et devenir plus tard une femme."

Il prit ma fille dans ses bras et la posa sur le bord de mon lit, puis s'agenouilla. J'ai pensé "ce type-là n'est pas un docteur !" et je l'ai agressé: "ce n'est pas la peine de lui parler, elle ne comprend rien, elle vient juste de naître et je ne l'ai pas encore touchée."

Il continua de parler à ma fille : "tu vois ta maman est persuadée que tu ne comprends pas ce que je dis. Pourtant, moi je vois bien que tu me suis des yeux quand je bouge la tête en te parlant... J'ai l'impression que ta maman n'est pas contente, je sens de la colère dans sa voix. Est-ce que tu sais toi, ce qui ne va pas ?"

Alors là j'ai éclaté, je lui ai dit : "Non je ne suis pas contente, j'attendais un garçon, car vous ne savez pas que j'ai eu quatre soeurs et j'en ai ras-le-bol des filles." Il dit alors calmement au bébé: "tu vois, ta maman est très en colère que tu sois née fille. Elle est très déçue, elle attendait un garçon, et surtout elle craint d'avoir une mauvaise relation avec toi, parce qu'elle a eu des difficultés avec ses soeurs. Je comprends maintenant sa tristesse et sa déception. Mais revenons à toi maintenant, voyons un peu ta langue, car tu en auras besoin pour te faire entendre..." Il poursuivit l'examen pendant un quart d'heure tout en expliquant chaque fois au bébé ce qu'il faisait. Puis à la fin il demanda à ma fille: "bon qu'est ce que je fais maintenant, je te remets dans ton berceau ou je te laisse un peu avec ta maman?" A ce moment-là, j'ai saisi ma fille dans mes bras et je me suis mise à pleurer de bonheur. J'avais l'impression que pour la première fois depuis qu'elle était née, je pouvais enfin la reconnaître comme ma fille.

Nous voyons dans cette scène l'importance des mots, utilisés ici pour relier cette mère à son enfant. Pour permettre à quelque chose de se créer au delà de la déception et du rejet possible.

Les mots de la tendresse seront ceux qui permettront ainsi de sortir d'une situation barrée par la frustration, par l'incommunication et qui permettront à deux êtres de se rejoindre, de se relier et de se comprendre mieux.

> Bien dans ses mots
> Bien dans sa peau
>
> M.H. BERNA

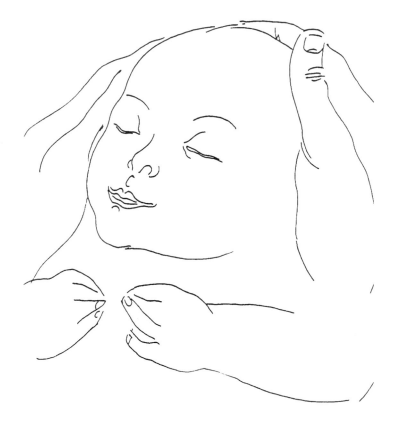

LA TENDRESSE VECUE... TENDRESSE PARTAGEE

La tendresse vécue, donnée ou reçue, est un soleil, une lumière qui éclaircit et transforme des pans entiers de notre vie. Ainsi notre vie est parsemée de ces coquelicots ou bleuets qui illuminent le quotidien et s'inscrivent au profond de notre existence pour se refléter à la surface des jours.

"Ainsi le geste de ce vieil homme du village de Platamon au pied du Mont Olympe, lors de mon premier voyage en Grèce il y a quelque trente ans:
Il s'avança vers moi: "Oh vous êtes français, m'a-t-il dit, vous venez de France, celle de 1789, (je n'ai pas eu le coeur de le décevoir) laissez-moi vous toucher la main."
Et avec infiniment de douceur, cet homme qui aurait pu être mon arrière grand-père, effleura ma main puis l'éleva jusqu'à son front.
J'ai reçu ce geste non comme du respect, mais bien comme de la tendresse. Il me reconnaissait dans une dimension de moi, qui m'était ainsi révélée : j'étais français et j'appartenais au pays de la liberté."

"C'est aussi ma fille de quinze ans, qui, le jour où je lui parlais de mes chagrins d'enfant, de ma tristesse de n'avoir pas connu mon père durant toute mon enfance, me prit la tête contre son épaule et me dit : "tu as le droit de pleurer tu sais..." Ce que je fis avec abandon et abondance. Et c'était bon !"

La tendresse au quotidien va se murmurer, se dire ou se manifester, par des attentions fragiles, par mille signes infimes que j'appelle les invitations de l'imprévu.

"Au sanatorium où je suis resté couché pendant quatre ans, dès l'âge de dix ans, une infirmière sachant mon goût immodéré pour la lecture (je dévorais gaillardement à cette époque trois livres par jour) faisait en cachette un concours de littérature pour tenter de gagner 100 volumes du "livre de poche". Elle perdit le concours et me laissa croire qu'elle avait gagné, pour ne pas me décevoir. Je ne le sus qu'après... avoir lu tous les volumes."

La tendresse c'est de la bonté gratuite, imprévue

Au delà de l'offrande par laquelle elle se manifeste, la tendresse est de la bonté. C'est de la bonté à l'état gazeux. Par contraste avec la bonté à l'état solide ou liquide, qui sont ce que j'appellerai les bontés de vocation.

Je me méfie des bontés de vocation, de celles qui ont besoin pour se faire reconnaître d'un uniforme ou d'une idéologie, d'une croix-rouge ou d'une croix de bois. Ici je pense à certaines religieuses qui sévissent dans des services hospitaliers ou des internats avec une bonté résolument redoutable, mêlée de volontarisme, de principes et parfois d'un peu de sadisme.

Cette bonté-là, cette tendresse dictée, cette tendresse de conserve, nous la payons parfois trop cher en culpabilité, en dettes et en devoirs. Rien n'est plus terrible que la tendresse en circonstance.

Rien n'obligeait ce vieux monsieur de soixante-dix-neuf ans à aller de sa lointaine banlieue parisienne pour venir chaque jour nourrir les moineaux du Palais Royal avec un gâteau appelé, je crois, quatre-quarts, et qu'il préparait chaque matin pour eux... Lorsqu'il tomba malade, il se désolait "que vont-ils devenir sans moi..."

Tendresse de circonstance ou tendresse en conserve cachent des conflits ou des violences qui ne guérissent jamais.

Combien de familles, réunies autour d'un de ses membres ou à l'occasion d'une fête, dans la lignée maternelle ou paternelle vont se blesser avec des enjeux cachés de rivalités, de rejets, de comparaisons... tout en maintenant le "faire-semblant" de circonstance.

Les fêtes familiales du temps de Noël illustrent singulièrement ces malentendus. Elles sécrètent des tensions et des ferments qui souvent ne s'apaisent ni à Pâques... ni à la Trinité.

La tendresse est vigilante, créative

La tendresse pour se vivre au quotidien a besoin de vigilance et de créativité.

Elle a besoin de vigilance pour recueillir l'instant fragile où peut s'inscrire le plaisir de partager. Il lui faut de la vigilance pour lutter contre le nivellement des habitudes, contre l'appauvrissement des gestes stéréotypés.

> Là où tu es tendre
> tu dis ton pluriel.
>
> R. BARTHES

Cette femme a pu dire un jour à son mari au plus fort d'une crise qui menaçait de les séparer: "tu sais, tu n'as pas besoin de chercher à me blesser ou me dévaloriser pour te donner le courage de me quitter. Mais je ne prendrai pas cette décision à ta place... j'ai encore envie, moi, de faire un bout de chemin avec toi... même si c'est difficile. Je garde suffisamment de tendresse pour deux, pour nous deux."

Elle a besoin de créativité pour transformer le banal et le prévisible en un moment d'étonnement et de bonheur. Car la tendresse crée du bonheur dans la frange subtile entre plaisir et bien-être, dans l'espace surgi entre celui qui donne et celui qui reçoit.

Cette femme me racontait comment elle avait pu dire adieu à son père déjà à l'agonie.
"J'étais assise près de son lit, je tenais ses mains si décharnées dans les miennes et je cherchais en moi les mots pour lui dire mon amour, ma tristesse, mon soulagement aussi, car il souffrait de façon terrible depuis plusieurs mois. Et je voulais lui dire tout cela à la fois. Puis je ne sais comment, je me suis mise à respirer profondément, un inspir large et profond, un expir long. Je me suis entendue respirer comme jamais et le miracle, c'est que mon père s'est mis à respirer petit à petit, à mon rythme. Ce fut un accord extraordinaire. Je ne sais combien cela dura... Il est mort ainsi, j'ai envie de dire - c'est bête - en respirant. Oui, il est mort vivant, accompagné par mon souffle."

> La tendresse c'est ton regard
> émerveillé sur mon offrande,
> c'est mon regard ébloui
> sur la tienne.

La tendresse est gratuite

La tendresse suppose la gratuité. Si elle est suscitée par l'attentivité de celui qui propose, elle est amplifiée par celui qui reçoit. Elle est donnée à fonds perdus. Elle ne s'inscrit pas dans le troc habituel de beaucoup de relations: "je te donne - je te rends" - "je te prête - tu me dois" etc. La tendresse se vit au présent, elle n'est pas garante de l'avenir, elle ne promet rien, elle se donne.

Dans la vie de tous les jours, la tendresse est faite d'un mélange de retenue et d'abandon, de non-défense et de courage. Elle est à la fois proposition et certitude, et cela lui donne ce caractère d'évidence et de miracle qui nous émerveille. Elle est un coin de ciel bleu dans le gris d'une journée, un rayon de lune dans l'obscurité.

> Mieux vaut la plus petite lueur
> d'une chandelle que l'obscurité
> la plus complète.

Elle surgit dans l'irrationnel d'une situation qui n'en supposait pas.

Cette mère raconte qu'elle a vu son petit garçon de six ans jouer à mettre son zizi entre la cuvette des w.c. et l'abattant en bois, avec un mouvement de va-et-vient. "Je suis intervenue en lui disant -tu risques de faire mal à ton zizi!" Et l'enfant de répondre : "tu n'as rien compris maman, il aime ça tu sais."

Cet ami me racontait un lundi matin le cadeau inouï de sa femme.

- "Elle m'avait accompagné jusque sur le quai de la gare, pour me dire au revoir. Et quelques instants plus tard, après le démarrage du train, je la vis s'asseoir en face de moi. "Dans mon émotion, me dit-elle, j'avais oublié de te dire combien tu étais important pour moi, et je vais avoir besoin de beaucoup de temps, jusqu'à la prochaine gare... pour te le dire."

"C'est ma voisine de soixante-quatorze ans se rappelant comment elle a reçu la seule et unique lettre d'amour de son mari... à l'âge de soixante-cinq ans.

- "C'était la première fois qu'il me quittait plus d'une journée, pour une histoire administrative, jusqu'alors je l'avais toujours suivi dans ses déplacements.

Il s'est arrêté dans un café et m'a écrit une lettre qui commençait ainsi : - "Nous sommes mariés depuis trente-huit ans et je m'aperçois aujourd'hui que je ne t'ai jamais parlé de mon amour pour toi..."

La tendresse c'est une infinité de signes gratuits, imprévus et nécessaires, parfois vitaux pour celui qui les reçoit. Et parfois le sentiment du manque, et la faim des besoins se réactivent quand nous découvrons que nous n'avons pas suffisamment reçu de tendresse.

Cela c'est notre corps qui va nous le dire, c'est lui qui en témoignera par diverses somatisations.

Certains asthmes, certaines appendicites, certaines maladies rénales vont se présenter comme des revendications, comme des appels.

Nous savons que la privation au niveau du toucher dans les premiers mois de la vie pour le bébé, dans les derniers mois de la vie chez les vieillards, entraîne des carences, des vides et des trous.

Combien d'hommes et de femmes ont une image négative de leurs corps, de leurs ressources. Ces images ont été inscrites parfois en eux par les gestes de la toilette, par exemple.

Vous pouvez fermer les yeux et vous souvenir et entendre encore aujourd'hui des gestes, des paroles, des odeurs et des rythmes qui accompagnaient votre toilette quand vous étiez enfants.

"Regardez-moi cette oreille, on pourrait y planter des choux."
"Et ces ongles, et ces genoux, on ne dirait pas que je les ai savonnés déjà trois fois."
"Qu'est-ce que j'ai fait au Bon Dieu pour avoir un enfant aussi maladroit."
"Tiens-toi droit, tu vas ressembler à ton père."

Ma mère quand elle me lavait... il y a de cela plusieurs siècles, le possible et l'impossible, disait-elle, parsemait mon corps de baisers légers pour finir de me sécher. Cela bien sûr jusqu'à un certain âge (trop tôt arrivé !!!) mais cela a dû être pendant suffisamment de temps, car aujourd'hui encore, j'ai la peau extrêmement douce, lisse et fraîche comme des joues de jeunes filles - et donc très recherchées... les joues des jeunes filles...

Oui la tendresse est dans le geste gratuit, inattendu qui va colorer l'instant et le prolonger en souvenir.

C'est mon fils Bruno qui, à cinq ans m'a dit dans la traversée un peu rapide d'un village : "attention Papa, n'écrase pas les petits vieux... ils vont bien mourir tout seuls."

"C'est Nathalie, une de mes filles, qui à l'âge de huit ans, lorsqu'elle a souhaité couper ses magnifiques cheveux longs avait dessiné une petite fille en jupe écossaise, sur la tête de laquelle elle avait collé quelques mèches de cheveux, avec la légende suivante :"je sais que tu seras triste de me voir avec mes nouveaux cheveux courts... aussi j'ai pensé te laisser le souvenir inoubliable de ta fille aux cheveux longs."

La tendresse navigue entre offrande et accueil. Elle ne se demande pas, elle ne se prend pas, elle ne s'impose pas... elle se propose.

Et ma façon maintenant de vous offrir de la tendresse, sera de vous proposer quelques textes poétiques, écrits dans différentes occasions de ma vie ou que j'ai choisi chez d'autres, parce qu'ils ont rejoint ma sensibilité.

Et si le verbe aimer n'existait plus, quelle myriade infinie de mots faudrait-il inventer pour chanter l'indicible douceur de m'envoler vers toi et de te recevoir.

"Nous avons l'âge de notre
tendresse.
Notre usure n'est rien d'autre
que de l'amour inemployé."

Stan ROUGIER

Déclaration des droits de l'homme
et de la femme à l'Existence.

Tout vivant, sans distinction d'âge, de sexe, de race, de nationalité, de religion, a le droit :

* d'éprouver ce qu'il éprouve
* de ressentir ce qu'il ressent
* de désirer ce qu'il désire
* d'imaginer ce qu'il imagine
* de rêver ce qu'il rêve
* de penser ce qu'il pense
* d'espérer ce qu'il espère
* de rencontrer qui il rencontre
* de se dire avec ses mots à lui
* et de cheminer sur son chemin au rythme qui est le sien.

En conséquence, tout vivant est en droit d'être reconnu, respecté et confirmé dans ce qu'il éprouve, ressent, désire, imagine, rêve, pense et espère, sur son chemin et à son rythme (1).

---

(1) Texte écrit en collaboration avec Françoise Rodary.

TENDRESSE A L'EGARD DE LA VIE

Quelques chemins poétiques pour dire plus loin la tendresse et la prolonger jusqu'aux confins de la vie. Tout d'abord, je vous parlerai de LA TENDRESSE DES ORIGINES, celle qui nous rattache à la vie, à nos sources, à nos racines.

> Ce que je ne puis plus imaginer sans avoir
> les larmes aux yeux, la Vie, elle apparaît
> encore dans des petites choses dérisoires
> auxquelles la tendresse seule sert
> maintenant de soutien.
>
> P. ELUARD

Cette tendresse nous relie à plus loin que notre condition d'homme et de femme. Elle nous relie au cosmos, à l'énergie vitale, à l'infini de la vie dont nous sommes partie prenante... à part entière.

Cette tendresse-là sera celle qui nous fera entrer dans l'aventure la plus extraordinaire, celle de notre relation avec l'ensemble de l'univers.

J'ai trouvé beaucoup de tendresse pour sa terre d'origine, dans la lettre écrite par un chef indien, nommé Seattle, au gouverneur du Dakota, en 1855, quand ce dernier lui proposait d'acheter sa terre.

Voici ce que disait, il y a 150 ans, ce vieil homme, considéré comme un sauvage. Voici comment s'exprimait l'amour et le respect de cet humain pour la terre qui le portait et le nourrissait.

*

Lettre du chef indien Seattle

"Comment peut-on acheter ou vendre le ciel ?
Comment peut-on acheter ou vendre la chaleur de la terre ?
L'idée nous semble étrange.

Si la fraîcheur de l'air et le murmure de l'eau ne nous appartiennent pas, comment peut-on les vendre ?
Pour mon peuple, il n'y a pas un coin de cette terre qui ne soit sacré.
Une aiguille de pin qui scintille,
un rivage sablonneux
une brume légère au milieu de nos bois sombres,
tout est sain aux yeux et dans la mémoire de ceux de mon peuple.
La sève qui monte dans l'arbre porte en elle-même la mémoire des Peaux-Rouges, chaque clairière et chaque insecte bourdonnant est sacré dans la mémoire et dans la conscience de mon peuple.

Nous faisons partie de la terre et elle fait partie de nous.
Cette eau scintillante qui descend dans les ruisseaux et les rivières, n'est pas seulement de l'eau, c'est le sang de nos ancêtres.

Si nous vendons cette terre, vous ne devez pas apprendre à vos enfants qu'elle est sacrée.

Comment vous dire que le murmure de l'eau est la voix du père de mon père...

Si nous vous vendons notre terre, aimez-là comme nous l'avons aimée. Prenez-en soin comme nous l'avons fait et traitez les bêtes de ce pays comme vos soeurs.
Car si tout disparaissait, l'homme pourrait mourir dans une grande solitude spirituelle.
Toutes les choses sont reliées entre elles.
Apprenez à vos enfants ce que nous avons appris de la terre aux nôtres: que la terre est notre mère et que tout ce qui arrive à la terre, nous arrive et arrive aux enfants de la terre.

Si l'homme crache sur la terre, c'est qu'il crache sur lui-même.
Ceci nous le savons, la terre n'appartient pas à l'homme, c'est l'homme qui appartient à la terre."

Et le vieil homme s'interrogeant sur son destin, terminait ainsi sa lettre à l'homme blanc.

"Cette destinée terrestre est bien mystérieuse pour nous. Nous ne comprenons pas pourquoi les bisons sont tous massacrés, pourquoi les chevaux sauvages sont domestiqués, ni pourquoi les lieux les plus secrets des bois, sont lourds de l'odeur des hommes, ni pourquoi encore la vue des belles collines est gardée par les "fils qui parlent".

Que sont devenus les fourrés profonds ? Ils ont disparu.
Qu'est devenu le grand aigle ? Il a disparu aussi.

C'est la fin de la vie et le commencement de la survivance."

Oui, d'une certaine façon, aujourd'hui être écologiste est une manière de manifester de la tendresse à notre planète... qui en a bien besoin. C'est accepter de communiquer avec elle, d'établir une mise en commun et non une exploitation et un asservissement des océans, des rivières et des forêts.

Retrouver un lien de tendresse avec la planète est difficile aujourd'hui car nous sommes trop enfermés dans des économies nationalistes, dans des enjeux de prise de pouvoir, de contrôle. La guerre n'est souvent qu'un des écrans de la violence exercée sur la terre, le saccage des mers, la rapacité des bétonneurs et le viol des forêts sont plus violents encore.

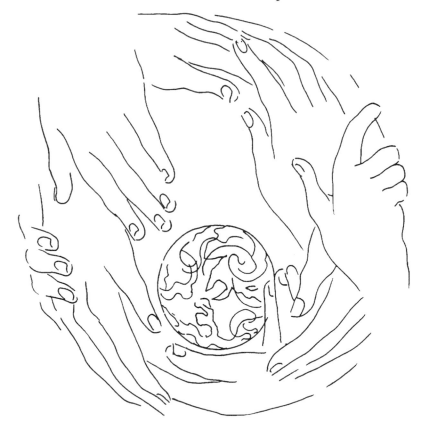

Supplique de l'arbre

HOMME,

Je suis la chaleur de ton foyer par les froides nuits
d'hiver;
l'ombrage ami, lorsque brûle le soleil d'été.

Je suis la charpente de ta maison, la planche de ta
table.

Je suis le lit dans lequel tu dors, et le bois dont tu fis
tes navires.

Je suis le manche de ta houe, et la porte de ton enclos.

Je suis le bois de ton berceau, et aussi de ton cercueil.

Ecoute ma prière, veux-tu ?

HOMME,

Laisse-moi vivre pour tempérer les climats et favoriser
l'éclosion des fleurs.

Laisse-moi vivre pour arrêter les typhons et empêcher
les vents de sable.

Laisse-moi vivre pour calmer les vents, les nuages, et
apporter la
pluie qui véhicule

LA VIE DU MONDE.

Laisse-moi vivre pour empêcher les catastrophiques inondations qui tuent.
Je suis la source de tous le fleuves, je suis la source des ruisseaux.

Je suis la VRAIE RICHESSE de l'Etat, je contribue aussi à la prospérité du plus petit village.

J'embellis ton pays par la verdure de mon manteau.

HOMME !

Ecoute ma prière !

NE ME DETRUIS PAS !

(Texte ancien d'un Sage Indo-chinois)

Je garde de mon adolescence le désir de changer la vie. A cette époque j'avais le sentiment de faire des découvertes extraordinaires tous les jours... mais je ne savais, je ne pouvais les partager avec personne. Aujourd'hui, avec mes cheveux blancs, j'ai cette liberté et je crée des textes comme on lance une bouteille à la mer... avec l'espoir qu'ils trouveront une île pour les accueillir.

Laissez-moi vous dire

Laissez-moi vous dire les sursauts
De l'espoir
Au ventre de la vie.
Le rêve d'un enfant
Dans le rire des jours.

Laissez-moi vous dire les cris
Du silence
Au creux d'un soupir
Les regards de l'amour
Dans la nostalgie d'un geste
L'abandon d'une violence
Dans l'accueil d'un sourire.

Laissez moi vous dire aussi
Le pouvoir des mots
Qui ravagent et dévastent le présent
Et déposent l'avenir
Dans plus d'inaccessible.

Laissez-moi vous dire l'éveil
D'une parole
Qui ouvre l'horizon
Et l'amplifie jusqu'au soleil.

Laissez-moi vous dire encore
La couleur du sang
Qui s'enflamme de liberté
Et s'écoule aux soirs des oublis.

Laissez-moi vous dire enfin
La joie du désir
A l'aube des amours
Et l'infini tendresse
A vous le dire ainsi.

Ma terre est un visage

Ma terre est un visage
où se posent en tremblant
des gouttes de lumière
comme une brève énigme
aux dunes de mes jours.

Ma terre est une odeur
qui gît dans les feuillages
et dans les lits d'herbage
au soleil de l'été
quand le ruisseau roucoule.

Ma terre est une voix
gorgée de souvenirs
et d'attentes obstinées
quand ma main et mon corps
vibrent de nostalgie.

Ma terre est un poème
engendré par l'absence
et le tourment d'aimer
au bord du temps qui vient
dans les mots du silence.

Ma terre est un amour
ensemencé de joie
et de solidité
où les destins voilés
s'ouvrent à l'émotion.

Ma terre n'a qu'une âme
pour expliquer les sens
des caresses et du ciel

de la vie de la mort
et des enfants rieurs.

Ma terre a mon visage
buriné par le temps
la douleur et l'espoir
et les éclats du rêve
aux miroirs des matins.

Paul JUBIN

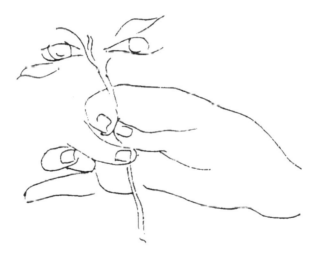

Et un soir de décembre 1981 près d'un poste de radio diffusant l'information du coup d'état militaire en Pologne, de l'interdiction de Solidarnösc, pour tenter de manifester à ma façon ma tendresse pour un pays bâillonné, j'ai écrit ce texte offert à des hommes et des femmes en lutte pour plus de liberté.

Pologne
je
t'attends

Avec tes mains béantes
de liberté
Avec le coeur ouvert
sur trop d'attentes
Avec l'enthousiasme
pas consommé
Avec la révolte
pas consumée
> Pologne je t'aime

Avec le silence trompeur
des cris étouffés
Avec le regard apeuré
du monde étonné
Avec le rire des enfants
encore émerveillés
> Pologne je suis inquiet

Avec la patience d'une foi
très ancienne
Avec l'inquiétude tenace
du présent en oubli
Avec l'invention d'une parole
nouvelle, inscrite au présent
> Pologne je t'espère

Avec la violence chantée
Avec l'espérance-faim
Avec les gestes de l'avenir
Avec le regard-vendange
du futur
> Pologne je t'attends
> Décembre 1981

Remplis ta vie d'amour

Toujours quand il y a un vide dans ta vie
remplis-le d'amour
Adolescent, jeune, vieux
toujours quand il y a un vide dans ta vie
remplis-le d'amour.
Ne pense pas "je souffrirai"
Ne pense pas "je me tromperai"
Va simplement, allègrement, à la recherche de
l'amour
Cherche à aimer comme tu peux, à aimer tout ce
que tu peux
aime toujours.
Ne te préoccupe pas de la fidélité de ton amour.
Il porte en lui sa fin.
Ne le juge pas incomplet, parce que tu ne trouves
pas de réponse à ta tendresse. L'amour porte dans le
don d'affection, sa propre plénitude. Toujours, quand il
y a un vide dans ta vie, remplis-le d'amour.

Amado NERVO - Poète mexicain

Et quand il y a un plein dans ton amour
toujours emplis-le de vie.
Ne pense pas "il en a assez"
Ne pense pas "il en a déjà trop"
Toujours quand il y a un plein dans ton amour
emplis-le de vie.
Mais toujours, n'oublie pas
de donner ton amour
Ne pense pas "je n'en ai pas assez"
Ne pense pas "j'en ai besoin pour moi"
Toujours n'oublie pas de donner ton amour
et n'arrête jamais
Alors tu seras aimé.

Je rêve d'un monde
où les papillons de nuit
pourraient éteindre les lampes
avant de s'y brûler les ailes.

Asie

Ne poussez pas !

Poussez pas !
Y'a en aura pour tout le monde.

Des petits matins nacrés
Et des nuits étoilées

Des bonheurs pleins de trous,
Des malheurs à deux sous !

Poussez pas !
Y'a en aura pour tout le monde.

Des rires et des pleurs,
Des soupirs, des Je t'aime,

Des départs, des espoirs,
Des attentes, des désespoirs

Y'a en aura pour tout le monde,

Des soleils et des ombres
Qui dansent une ronde

Une ronde vagabonde
Qui embrase le monde.

Poussez pas, bon sang !
Je vous dis qu'y'a en aura
Pour tout le monde

Des naissances à venir,
Des peurs reconnues enfin comme désirs
Des blessures-passages
Des séparations-ouvertures
Des partages-offrandes
Attention, poussez pas
Y'a en aura pour tout le monde
Des plaisirs-océans
Des jouissances-opulentes
Des rencontres-amours
Des tendresses-oxygène
Des regards-écologiques... oui je vous le dis, poussez pas.
Laissez-vous
aller, seulement aller, là, venez. Je suis là.

" La source est source à chaque instant du ruisseau,
du fleuve et de la mer ; toujours se dégageant d'elle-même,
ne trouvant son origine qu'en s'éloignant de sa propre
source, qu'en l'emportant plus loin, toujours plus loin. "

Jean-Louis Giovannoni.

" J'aimerais garder l'amitié du vent et du soleil ", chante Julos Beaucarne.
J'aimerais préserver la tendresse du ciel, de l'air, de la terre et des océans, pour l'offrir à mes enfants et à mes petits-enfants.

JE ME SOUVIENS ENFIN LA TERRE
N'EST QU'UN SEUL PAYS

La terre est un seul pays
Et ce n'est plus le mien
Ce pays je dois le retrouver
je dois me le donner
je me dois de l'offrir
je dois le faire tien
pour mieux le faire mien.

En déplaçant mes frontières
en les ouvrant sur la rencontre
en osant sortir de mes peurs
en permettant à l'autre de me sourire
en invitant à l'échange
en autorisant les rires.

La terre est un seul pays
et ce n'est pas le mien
Je n'ai pas encore trouvé la langue
de toutes les oreilles
celle qui te disais
tu es de mon pays et je te reconnais
comme un frère, comme une sœur,
et je t'entends dans tes différences
et je m'écoute dans les miennes
et je peux aller mon chemin
et toi vers le tien sans craindre
dans mon dos la violence
sans que tu redoutes dans le tien
l'hiver et la faim.

La terre est un seul pays
et ce n'est pas le mien.

Pas encore.
Bientôt
Je me souviens enfin
la Terre n'est qu'un seul pays.

TENDRESSE A L'EGARD DES PARENTS

Arrivés à l'âge adulte, il nous reste toujours de notre enfance, de l'éducation reçue, un certain nombre de situations inachevées. Ce sont des situations chargées d'attente non dites, de demandes anciennes ou récentes non entendues et souvent de ressentiment non exprimé.

Nous voyons autour de nous combien les relations des ex-enfants que nous sommes avec nos parents sont difficiles, maladroites, morcelées ou insatisfaisantes. Une des choses les plus difficiles à partager avec sa mère, avec son père, sera le témoignage de nos sentiments réels.

Accepter de leur dire "je t'aime" -"je tiens à toi".

A beaucoup, cela paraît résolument impossible de formuler:

"tu es important pour moi, même si je te déçois, même si je ne vis pas comme tu le souhaiterais, même si je ne suis pas tes conseils..."

Nous voyons combien le toucher, le contact physique, l'abandon aux caresses et aux câlins, paraissent alors exclus, inaccessibles et même inopportuns.

"A quoi ça sert ! - Il va me demander "qu'est-ce qui te prend?"

Nous projetons sur l'autre nos propres peurs.

"Jamais elle n'acceptera que je la prenne dans mes bras, elle va me croire folle!"

Nous verrons donc des hommes et des femmes qui s'interdiront toute expression et surtout toute manifestation de leurs sentiments réels et profonds. Ils nommeront pudeur ce qui est trop souvent de la peur, des blocages ou des interdits vivaces qui subsistent intacts dans les replis de l'âge.

> "J'ai un nouveau voisin, Monsieur GRANGER
> (c'est un pépé) dès que je l'ai vu, j'ai su
> qu'il prendrait une place dans mon coeur.
> C'était de la tendresse."
>
> Sylvie 11 ans et demi dans une
> rédaction sur la tendresse.

Et nous avons besoin de l'opportunité d'une maladie ou de la mort proche de l'un ou de l'autre de nos parents pour oser dire notre amour, notre tendresse.

Nous proposons dans les sessions de formation (1) un ré-apprivoisement, un ré-apprentissage de la rencontre par le toucher.

Comme par exemple : prendre les mains de ses parents... et les poser sur son propre corps.

---

(1) Sessions de formation sur le développement et le changement personnel proposées par le Centre de Formation aux Relations Humaines -Le Regard Fertile- ROUSSILLON EN PROVENCE -F 84220 GORDES

Leur écrire une lettre, s'adresser directement à eux en tentant de se dire - ce qui signifie - ne pas parler sur eux, mais parler à eux de nous-même, de nos sentiments, de notre vécu, de nos croyances, sans les mettre en accusation eux, sur leurs propres croyances, certitudes, convictions.

"Voilà ce que j'ai vécu moi - combien j'ai éprouvé de la violence, des contradictions, du désarroi ou de la révolte..."

Apprendre aussi à différencier leurs différents aspects, ne pas globaliser dans une image totalitaire.

"C'est vrai je n'ai pas vécu comme tu le souhaitais et tu as été souvent déçu par mes façons de faire, et moi j'ai été terrifié longtemps à l'idée justement de te décevoir..."

"Je détestais ton regard que je ne comprenais pas, avec toujours ce sentiment douloureux que je n'en avais jamais fait assez..."

"Il y avait en toi des intolérances insupportables pour moi, des a-priori, des prises de position qui me bloquaient, qui m'éloignaient alors que j'avais envie, besoin d'approbation. Un énorme besoin d'être reconnu par toi Papa... pour pouvoir te reconnaître aussi."

"La place que je n'avais pas, moi je te la donnais toute à toi qui ne le savais pas."

Et combattre ainsi tous les refus anciens, toutes les peurs prisonnières de la soumission ou de l'opposition pour tenter d'affirmer ce que je suis devenu aujourd'hui au delà du petit garçon, de la petite fille tremblante d'admiration, de dévotion et aussi de désarroi.

Dans les relations des ex-enfants aux parents, la tendresse semble interdite tant qu'il n'y a pas de démystification, dédramatisation ou recadrage des images parentales anciennes profondément inscrites en nous.

C'est ce que nous avons appelé dans un livre précédent "La galerie des monstres parentaux", qu'il faut dépoussiérer, sortir du monde de l'enfance pour l'actualiser dans une relation de personne à personne.

Tout se passe comme s'il fallait d'abord se dépouiller de gestes, d'habitudes, de regards fondés sur la crainte, la menace, la culpabilité (nous avons cité là, les trois mamelles de l'éducation traditionnelle... toujours actuelle...), de schémas et de scénarios qui se rejettent sans fin à la moindre sollicitation, à la plus petite stimulation.

Il nous faut donc renoncer à ces images, à ces conditionnements pour accéder à une perception plus vivante - plus réelle aussi - de personne à personne - qui seule peut permettre une expression, une communication fluide, chaleureuse et de toute façon plus ouverte.

Cette expression est freinée par la peur de retomber dans la dépendance des parents, dans la crainte d'être considéré comme petit et faible à nouveau, d'être repris dans un système pervers.

"Si je me laisse aller à être tendre avec elle/avec lui, elle va me récupérer contre ma soeur..."

"Si je lui montre trop d'intérêt, ses plaintes et ses reproches vont redoubler contre mon père..."

Dans les relations des filles à leur père, et des fils à leur mère, il y a aussi la crainte de la séduction, d'autant plus forte qu'elle se joue fréquemment dans l'imaginaire... de chacun.

Il est difficile en effet de pouvoir exprimer que nos sentiments sont multiples, qu'ils sont l'enjeu de champs de force contradictoires, que nous avons besoin pour être congruents de dire et l'amour et la haine, j'entends par là tout l'éventail des sentiments dans ces deux registres. Nous avons peur, si nous nous disons dans nos ressentis immédiats, d'être rejetés, de perdre leur amour (ou leur ambivalence aussi) ou de leur faire du mal, de leur faire de la peine.

> C'est en ne voulant pas faire de la peine
> que je fais parfois beaucoup de mal.
>
> Ma grand-mère

Ainsi cette lettre sous forme d'une prière, adressée par une jeune femme à sa mère et à son père pour leur dire ses sentiments réels, ses attentes et ses sentiments multiples pour eux.

O ma mère, sois vivante
Pour que je puisse te combattre sans danger.
O ma mère sois solide
Pour recevoir sans te détruire
Ma haine et mon amour.

O ma mère préfère-moi parfois
Et préfère-le souvent
Ce père qui est aussi ton mari.

O ma mère sois large et pleine
Pour me recevoir en entier
Pour m'accueillir à tout âge.
O ma mère sois réceptive à mes maladresses,
A mes contradictions
Mais reste ferme, ne te déjuge pas.
O ma mère ne démissionne pas,

Ne fuis pas, ne sois pas sourde
Reste entière dans ce que tu es.
Laisse-moi me tromper
Et vivre cette part de folie si vitale
Par les chemins qui sont les miens.

O ma mère sois présente
Pour me laisser vivre
Pour me lancer haut, plus loin
Dans la vie
O ma mère sois femme enfin
Pour que je puisse le devenir.

Et toi Papa, apprivoise-moi
Sans me séduire
Ne me regarde pas trop avec des yeux d'homme
Cela me fait peur, même si je le demande
Papa reste mon père.
J'ai si peur de tout casser
Et après risquer d'en mourir
J'ai si peur et si envie de changer
Papa, Papa, il y a si longtemps que j'ai besoin
De ton épaule, de ton acceptation.

Papa il faut que je te quitte
Maintenant j'ai besoin des yeux
Et surtout du regard d'un homme

Pour qu'il reconnaisse ce que je vais devenir
En dehors de toi
Loin de toi
Une femme.

M. - TH. D.

Mais la tendresse n'a pas d'âge - ni pour se dire- ni pour se vivre.

Il existe un texte vieux de 4000 ans, gravé sur une tablette d'argile de 10 cm sur 5, retrouvée en Mésopotamie.

J'imagine un homme de 30 à 40 ans, depuis longtemps à l'étranger, car il est au service du roi. A cette époque-là, il était courant de dicter le contenu du message, le messager devenait ainsi une lettre vivante...

Message de Ludingirra à sa mère

"O messager royal, prends la route.
Comme envoyé spécial, porte ce message à Nippur.
Pars pour ce long voyage.
Peu importe si ma mère est éveillée ou si elle dort.
Va droit à sa demeure.

Si tu ne connais pas ma mère, tu la reconnaîtras
aux signes que voici:

Son nom est SAT ISHTAR.
Ma mère est semblable à une lumière brillant à
l'horizon
C'est une biche des montagnes

Etoile du matin qui scintille à midi
Cornaline précieuse, topaze de Mahrashi
Trésor digne d'un frère de roi, pleine de séduction
Un bracelet d'étain, un anneau d'or resplendissant
Figure protectrice, taillée dans l'albâtre et le lapis-lazuli...

Ma mère est la pluie du ciel, l'eau pour les meilleures semences

Un jardin de délices plein de joie
Un canal apportant les eaux fertilisantes
Une datte sucrée... prémice recherché

Ma mère est une princesse, une chanson d'abondance
Un palmier odorant, un char de bois de pin
Une litière de buis,
Un flacon de coquille, débordant de parfum.

Quand ces signes te l'auront désignée et qu'elle sera rayonnante devant toi, dis-lui :

"Ludingirra, ton fils bien-aimé te salue."

Il y a aussi le regard des enfants sur les adultes...

Quand j'ai découvert ce petit texte de quelques lignes, écrit par un enfant de huit ans, de la ville de Genève, je me suis tellement retrouvé, que j'ai pris la liberté d'ajouter mon propre regard et voici ce que cela a donné.

Une grand-mère vue par un enfant de 8 ans et un ex-enfant de 50 ans...

Une grand-mère est une femme qui n'a pas d'enfant à elle.
C'est pour ça qu'elle aime les enfants des autres.

Les grands-mères n'ont rien à faire, elles n'ont qu'à être là.

Quand elles nous emmènent en promenade, elles marchent lentement à côté des belles feuilles et des chenilles vertes.
Elles ne disent jamais "avance plus vite, dépêche-toi !"

En général, elles sont grosses, mais pas trop pour pouvoir attacher vos souliers.

Quand une grand-mère te dit "tu es le soleil de ma vie" il faut la croire parce que cette fois, c'est vrai.
Elles savent toujours qu'on a besoin d'un deuxième morceau de gâteau ou du plus gros.

Une vraie grand-mère ne frappe jamais un enfant, quand elle se met en colère c'est pour rire.
Les grands-mères portent des lunettes et parfois elles peuvent même enlever leurs dents.
Elles savent être sourdes quand il le faut, pour ne pas nous gêner quand nous sommes maladroits.

Quand elles nous lisent des histoires, elles ne sautent jamais un bout et elles n'ont rien contre, si on réclame la même histoire plusieurs fois.

Les grands-mères sont les seules adultes qui ont toujours du temps pour nous écouter. Elles savent faire le geste qui fait du bon quand on a mal.

Les grands-mères ne sont pas aussi fragiles qu'elles le disent, même si elles meurent plus souvent que nous.

Tout le monde devrait essayer d'avoir une grand-mère, surtout ceux qui n'ont pas la télé.

Une grand-mère ça sert aussi à rester enfant quand on est devenu grand.

Nous pouvons aussi entendre, dans la voix de cet enfant de Genève, associée à celle d'un ex-enfant de Toulouse, ce qu'ils attendent... d'une mère.
Et stimulé par les grands-mères, j'ai éprouvé le besoin de donner une place aux grands-pères.

Les grands-pères vus par un ex-enfant de 7 ans

Il y a des grands-pères de toutes les couleurs : des "tout rouge", des blanchis, des chauves ou des barbus, mais il y a deux espèces principales : les papys et les pépés. Les papys sont plus parfumés que les pépés mais moins rigolos.

Les grands-pères adorent expliquer la vie et le monde. Ils expliquent tout: que les mémés parlent pour ne rien dire, comment la lune tient toute seule dans le ciel, d'où viennent les parents et comment les escargots se reproduisent.

Les grands-pères ont plein de secrets que tout le monde connaît, mais qu'il ne faut surtout pas dire aux grandes personnes.

Avec son grand-père, un enfant sait tout faire... mais ça ne marche jamais quand il est avec ses parents.

Les grands-pères semblent avoir besoin du "petit" pour faire des bêtises.

"Tu as encore fait une bêtise avec le petit !"
Mais ils sont pleins d'indulgence pour les bêtises qu'ils
font avec nous, ils ne nous les reprochent jamais.

Les grands-pères ont toujours le même âge, qui s'appelle "quand j'avais ton âge".

Mais ce doit être fatiguant d'être grand-père et de porter
toujours le "poids des ans" même en dormant.

C'est plus fort qu'une automobile un grand-père. Les
policiers arrêtent les voitures pour les laisser passer.

Les grands-pères mentent sans rougir, ils peuvent dire
"oh celui-là il me ressemble comme une goutte d'eau..."
et c'est pas vrai, car tout le monde peut voir qu'on a pas
les mains qui tremblent, ni les yeux rouges, ni du poil
dans les oreilles.

Il faut bien entretenir son grand-père, pour qu'il dure
plus longtemps, ils aiment bien qu'on leur tienne la
main pour traverser la rue.

Et aussi qu'on leur demande de raconter toujours la
même histoire, celle qu'ils préfèrent "grand-père raconte moi quand tu étais petit..."

Nous avons beaucoup aimé ce texte publié dans une
revue anglaise quand une femme proche de la mort, porte un
regard sur son passé en adressant à son aide-soignante une
lettre écrite pour elle. Cette lettre fut retrouvée le lendemain
de sa mort, dans sa table de nuit.

La vieille dame grincheuse

Que vois-tu, toi qui me soignes ?
Qui vois-tu, quand tu me regardes ?
Que penses-tu, quand tu me quittes ?
Et que dis-tu quand tu parles de moi ?

Tu vois le plus souvent une vielle femme grincheuse,
un peu folle,
le regard perdu, qui n'est plus tout à fait là,
qui bave quand elle mange et ne répond jamais
là où tu l'attends.

Qui,
quand tu dis d'une voix forte "essayez encore un peu"
ne semble prêter aucune attention à ce que tu fais.
Et ne cesse de perdre ses chaussures et ses bas,
qui docile ou non, te laisse faire à ta guise,
le bain et les repas pour occuper la longue journée grise.

C'est cela que tu penses,
c'est ça que tu vois !

Alors ouvre les yeux, ce n'est pas moi.

Je vais te dire enfin qui je suis,
assise là si tranquille, si gênante.
Me déplaçant à ton ordre, mangeant quand tu le veux.

Capricieuse et impersonnelle,
trop souvent agaçante à ta vitalité.

Je vais te dire qui je suis.
Je suis la dernière de dix, avec un père et une mère.

Des frères et des soeurs qui s'aimaient entre eux.
Une jeune fille de 16 ans, des ailes aux pieds,
rêvant que bientôt elle rencontrera un fiancé.
Mariée déjà à 20.
Mon coeur bondit de joie
au souvenir des voeux que j'ai fait ce jour-là.

J'ai 25 ans maintenant et un enfant à moi
Qui a besoin de moi pour lui construire une maison.
Une femme de 30 ans, mon enfant grandit vite,
nous sommes liés l'un à l'autre par des liens qui dure-
ront.
40 ans, bientôt il ne sera plus là.
Mais mon homme veille à mes côtés.
50 ans, à nouveau jouent autour de moi des bébés.
Me revoilà avec des enfants, moi et mon bien-aimé.

Puis voici les jours noirs,
mon mari meurt.
Je regarde vers le futur en frémissant de peur,
car mes enfants sont tous occupés à élever les leurs.

Et je pense aux années et à l'amour que j'ai connus.
Je suis vieille maintenant.
La nature est cruelle,
qui s'amuse à faire passer la vieillesse pour folie.
Mon corps s'en va, la grâce et la force m'abandonnent.
Et avec le grand âge il y a maintenant une pierre là
où jadis j'eus un coeur.

Mais dans cette vieille carcasse la jeune fille demeure
dont le vieux coeur se gonfle sans relâche.

Je me souviens des joies,
je me souviens des peines,
et à nouveau je sens ma vie et j'aime.

Je repense aux années trop courtes et trop vite passées.
Et j'accepte cette réalité implacable,
que rien ne peut durer.

Alors ouvre les yeux, toi qui me soignes et regarde
non pas la vieille femme grincheuse...
Regarde mieux et tu me verras.

A ma mère

Ma mère a rejoint l'étoile du matin, à l'aube ce samedi, emportée dans la paix et le silence sur des ailes de douceur. Elle fut entourée toute proche par la merveilleuse tendresse de ses quatre petits-enfants qui ont découvert, comme je l'ai fait moi sa fille, la palpitation de chaleur concentrée sur la fontanelle. Cette mystérieuse porte qui ne se referme que tard chez l'enfant incarné et qui s'ouvre vers la fin, pour libérer plus d'infini.
C'est un mystère qui remplit le cœur de gratitude.
Elle est libre. Tout est bien.
Il y a quelques années seulement, moi sa fille j'ai commencé la descente vers elle. Nous étions attachées, séparées, en conflits, en violences, en incompréhensions irréductibles depuis tant et tant d'années.
Depuis j'avais fait quelques pas vers cette mère inaccessible, si proche au plus loin, si lointaine au plus près. Je l'avais approchée au plus difficile, au plus vulnérable, au plus douloureux. Je l'avais enfin reconnue comme ma mère. Oui, il arrive à certains enfants d'adopter très tard leurs géniteurs.
Il y a quelques semaines elle a ressemblé ses dernières forces, ses derniers sourires " Aide-moi c'est la fin... " Je me suis assise tout près, tout contre.
J'ai respiré avec elle, j'ai massé ses mains, apaisé ses paupières et aussi oser toucher son ventre, si doux, si relaché à l'approche du passage.
Elle me regardait, mais j'ai bien vu que c'était au delà de moi, plus loin.
Elle est partie ainsi à l'aplomb d'un soupir si long, si ténu, le regard appelé.
J'ai chuchoté à son oreille : " Tu approches du passage, quand tu seras dedans, regarde, regarde de tous tes regards, ne

manque rien de ce que tu vas rencontrer et surtout approche-toi de la grande lumière blanche, va plus près, encore, laisse-toi entrer dedans... "

Quand je l'ai regardée à nouveau elle était si belle, si libre, si vivante (1).

---

(1) *Texte écrit en collaboration avec Pamela Solère.*

TENDRESSE A L'EGARD DES ENFANTS

La rencontre des enfants est le domaine privilégié de la tendresse. Leur fraîcheur, leur spontanéité, leur vitalité, leurs étonnements devant les miracles de la vie sont autant d'appels, d'invitations et de stimulants à l'expression et au partage de la tendresse.

Nostalgique

Quand tu étais petite
aux matins de soleil
tu disais
plus émerveillée que tes yeux
oh regarde Papa
il y a des étoiles d'araignée

Et dans la rosée éblouie
déposée par les paupières
du ciel
voie lactée en partance
grandissait l'enfance
d'un univers

Ton rire savait tisser
le cosmos de notre histoire
encore, encore
disais-tu

vers l'inaccessible
tout proche

Et tes gestes
dessinaient
des restes de songes
abrités par le grand drap
de notre tendresse
à tous Trois.

Tous les moments clefs de la vie quotidienne peuvent être porteurs de tendresse : lever, coucher, toilette, repas, jeux etc. Et c'est justement parce que ces actes vont se répéter des centaines de fois qu'il est important d'y introduire quelque chose de plus qui fera de cet événement ordinaire un moment plein, chargé, qui s'inscrira dans le corps et aussi dans l'imaginaire des protagonistes.

Dans les gestes quotidiens

"Quand s'exprime la tendresse
il ne faut surtout pas la déranger
sous aucun prétexte."

Hervé 14 ans.

Cette mère, au moment du coucher de son enfant, juste avant de refermer la porte, souffle dans la paume de sa main et envoie un baiser qui sera recueilli par l'enfant avec chaque jour une signification nouvelle.

Aujourd'hui c'est un oiseau, hier c'était un bouquet de fleurs, demain une montgolfière... Ainsi dans ce rituel qui n'appartient qu'à eux, va passer l'expression d'une tendresse chaque jour renouvelée, revivifiée par la qualité de l'invention, par la fantaisie, par l'imprévisibilité de ce qui va sortir du souffle de la mère, par l'émerveillement aux gestes qui naîtront chez l'enfant pour accueillir l'offrande incroyable de chaque jour.

Chaque matin ce père avait pris l'habitude de réveiller son fils, en s'asseyant au bord du lit, en posant doucement la main sur la tête du petit garçon.
Celui-ci s'éveillait et venait fourrer son nez dans la paume grande ouverte, où il restait un petit moment entre sommeil et éveil, entre silence et rire.

Un autre père venait dans la chambre des enfants avec sa grande serviette de bain, et créait ainsi une espèce de toit, sous lequel ils pouvaient se regarder, grogner, rire et jouer avant d'affronter les tempêtes ou les douceurs du jour à venir. Moments uniques qui n'appartiennent qu'à eux.

Cette jeune fille dira : "Tu te souviens Papa quand on jouait à l'ours, tu me faisais peur avec le grand édredon mais qu'est-ce que j'aimais ça..."

Aucun de ces instants, aucun de ces moments ne disparait, ils résisteront longtemps à l'usure du temps, resteront gravés au profond et au proche des relations avec les enfants.

> "La tendresse c'est une lumière et
> une chaleur qui persistent dans notre
> coeur même quand il pleut dehors."
>
> Richard 15 ans.

Les repas sont des moments forts d'échanges à tous les niveaux. Les situations de table vécues dans l'enfance ont inscrit dans notre corps de multiples messages qui confirmeront ou inhiberont les qualités du donner et du recevoir, du lâcher et du retenir, de l'abandon ou de la méfiance... et cela pour toute une vie.

- J'ai connu très tôt l'injustice des parts égales... moi qui avait de gros besoins en matière de gâteaux !

- L'importance des places à table... à côté de qui... loin de qui...

"Quand ma mère se déplaçait pour aller chercher les plats, elle passait toujours derrière ma chaise et parfois s'appuyait d'un geste léger contre mon dos... Sa présence a été ainsi un apaisement, une confirmation... une sécurité."

Les repas faits d'obligations, de codes, de rituels devraient aussi être le lieu de la fantaisie, de l'improvisation, de la circulation de bien-être dans des mots, dans des regards, dans des attitudes.

Durant toute notre enfance le temps de la toilette et l'habillage inscrivent en nous l'image de soi. La façon dont le corps sera lavé, savonné, séché, bousculé ou bercé dans les actes de la toilette contribuera à former l'image corporelle, celle que nous présenterons au monde par laquelle nous nous ferons reconnaître dans un double jeu d'attirances et de rejets.

Viendront s'ajouter les remarques, les commentaires, les petites phrases câlines ou incisives, bienveillantes ou dévalorisantes, avec lesquels une mère, un père dira son plaisir, sa déception, confirmera le sexe et le plaisir ou le disqualifiera... avec ses propres projections, ses désirs ou ses peurs.

- "Regardez-moi cette poitrine, et elle veut mettre un soutien-gorge avec ça... !
- "Il ne faut pas regarder son corps, ça ne se fait pas..."
- "On ne trouvera jamais à l'habiller avec des fesses comme ça..."

Beaucoup d'enjeux concernant la vie affective, sexuelle et relationnelle future se jouent dans ces moments-clefs porteurs de messages qui s'inscrivent dans la fantasmatique de chacun de façon variable mais durable.

Le choix des vêtements et l'habillage donnent souvent lieu à des conflits, à des oppositions, à des manifestations réactionnelles importantes. Ils vont dire aussi la relation au corps.

- Tel pantalon est "immettable" parce que justement il révèle un aspect de mon corps dont j'ai honte.

- Telle jupe, tel pull deviennent une agression car ils montrent (ou ils cachent) ce que je ne veux pas montrer ou désire exhiber.

La tendresse du regard, des gestes, des confirmations dont a besoin le corps de l'enfant, de l'adolescent, se perd trop souvent dans des dialogues fous et incompréhensibles.

"Mais c'est toi-même qui a choisi ces chaussures et tu ne veux plus les mettre."

"Si tu me l'avais demandé ce blue-jean serait lavé avec la lessive de la semaine, mais tu as vu dans quel état est ta chambre."

Dans les jeux

Les loisirs bien sûr et les jeux seront des moments forts pour l'expression de la tendresse.

Est-il possible de veiller à donner à chaque enfant un temps qui lui appartienne? Chacun de nos enfants a besoin d'un espace et d'un temps à lui.

Nous pourrions veiller à accorder à chacun une attention privilégiée, une écoute, une disponibilité qu'il ne partagera pas avec d'autres membres de la famille, qui lui soit réellement offerte à lui.

Pour les sorties familiales du dimanche, quand il y a plusieurs enfants, ma position est de faire une invitation, d'offrir un moment personnalisé à l'un ou à l'autre, plutôt que de tenter de concilier tous les membres de la famille. Et par exemple d'oser aller au cinéma avec un... et non avec tous. C'est souvent ces petits moments privilégiés, offerts à chacun (et non à tous) qui vont s'inscrire fort dans le vécu, le souvenir et marqueront ainsi de signes positifs les années d'une vie.

La tendresse se vivra surtout dans des moments de fantaisie, de folie introduits dans le quotidien.

"Nous avions inventé avec ma dernière fille l'arbre-folie qui illumina au moins six ans de sa vie et de la mienne. Dans cet arbre chaque dimanche, nous inventions toute la magie des situations intenses et incroyables qui peuplaient notre imaginaire. Nous retrouvions les possibles d'un jeu inusable, indestructible, celui d'être sans contrainte pendant quelques minutes, ouverts aux rires, aux gesticulations, à la folie de la création sans limite.

Nous étions un orchestre, un bateau dans la tempête, une course automobile de formule I, des indiens... des poissons ou des oiseaux à la quête d'espaces nouveaux."

Respecter les jeux, est une forme de tendresse. Ils sont la médiation avec laquelle l'enfant affronte une réalité parfois difficile et incompréhensible.

Quand nous rangeons, nettoyons une chambre nous risquons de détruire un univers fait de personnages aimés, de héros importants pour l'enfant.
Chaque chambre d'enfant devrait avoir un espace... où les parents ne feraient pas le ménage. Un coin réservé où la poussière, le désordre ne feront pas obstacle à la vie secrète et fertile d'un enfant.

Absence et séparation

Se séparer, se quitter, s'éloigner, est dans la vie de chaque relation. Ce sont des moments clefs où seront réactivés les sentiments de perte, de trahison possible, d'abandon. Ces sentiments sont profondément inscrits en nous.

Ce n'est pas en cherchant à le rassurer qu'on permet à un enfant de dire sa peur. C'est par une écoute tolérante, tendre qu'on lui permettra peut-être de la dire et de la traverser. "Oui, tu as peur, peux-tu me dire comment tu la vois, ce que tu imagines, qu'est-ce que tu sens..."

L'écoute respectueuse permet de confirmer l'autre dans ses sentiments, dans son ressenti face à une situation nouvelle ou imprévue. Dans ce domaine il sera souhaitable d'utiliser des jeux symboliques.

"J'avais offert à ma fille un petit galet avant son départ en colonie de vacances. Sur ce caillou j'avais écrit au feutre "Bonjour à toi, Papa!""

"Quand nous sortions au spectacle le soir, nous laissions notre oreiller à chacun de nos enfants. Il était certain de notre retour non pour lui... mais pour l'oreiller, racontait cette femme en riant."

Jeux et objets symboliques jalonnent de façon implicite notre existence. Il conviendrait de les ré-introduire de façon plus explicite, de s'appuyer sur eux, de se prolonger et de s'agrandir ainsi.

Il y a tous les jeux possibles (poupées russes, peluches, vêtement prêté à l'enfant) pour la durée de l'absence et qui symboliseront la présence et le retour de la mère ou du père.

Se définir

Etre tendre c'est être capable de se définir sans ambiguïté, le plus clairement possible dans ses demandes, dans ses exigences, dans ses positions face à la vie. J'appelle cela se signifier à l'autre, pour lui dire, voilà où je suis, voici quels sont mes sentiments, ma position, mes réserves ou mes peurs à moi, mes limites aussi.

"Mon seuil de tolérance est touché et je ne peux aller plus loin avec toi."
"C'est vrai, je me sens démuni."

Et il m'est souvent arrivé de dire à mes enfants: "Je ne suis que votre père", c'est-à-dire; "vous ne pouvez tout attendre de moi, seulement ce qu'il m'est possible d'être."

Ceci permet à chacun d'entrer plus pleinement dans le temps et le mouvement de la tendresse.

Il n'est pas nécessaire de laisser croire à votre fille, qui se promène tendrement avec vous "qu'on va vous prendre pour des amoureux..."

Quand je tremble "pour elle" à l'idée qu'elle économise pour acheter un vélomoteur, c'est bien de ma peur qu'il s'agit.
Alors je n'ai pas besoin de détruire son désir, de l'infantiliser ou de disqualifier son projet.

Mais les enfants grandissent et leurs besoins se modifient. Des besoins d'indépendance, d'autonomie, de pudeur ou d'opposition et de confrontation se font jour. C'est le temps de la différenciation aiguë.

- "Je ne veux pas te ressembler"
- "Je ne veux rien te devoir"
- "Je ne veux pas dépendre de vous"

Les parents découvrent avec difficulté que les enjeux de la relation avec les enfants changent.

Ils comprennent mal que ces derniers veulent passer d'une relation de soins... à une relation d'échanges et surtout de confrontations.

"Tu ne peux pas savoir comme ma mère est invivable quand elle se croit obligée de jouer à ma mère 24 h sur 24 h."

Cette adolescente dénonce bien ce que j'appelle les relations de soins (1) (faire pour l'autre) qui sont trop souvent proposées par les parents au détriment d'une relation d'échanges et de confrontations. Une relation de confrontation qui laisse suffisamment d'espace aux erreurs, aux ajustements et aux interrogations... mutuelles.

La tendresse possible ici, sera liée à la capacité des parents de gérer leur propre angoisse ou gêne devant les mutations de leurs enfants. A rester présents et à témoigner de cette présence sans démissionner ou se disqualifier. A accepter leur remise en cause sans se culpabiliser mais comme une phase nécessaire à la rencontre.

La tendresse sera aussi cette forme de tolérance, d'acceptation à les laisser grandir (à se laisser grandir aussi sans eux) et donc à accepter de les quitter, de se séparer... de suivre des chemins différents.

"Quand ma mère attendait un bébé
mon père était heureux, il était déjà
attaché au bébé, c'était de la tendresse."

Patricia 9 ans 1/2

---

(1) Nous savons d'ailleurs que la plupart des relations de soins sont proposées, voire imposées en fonction de nos systèmes de valeur.

Je suis le père de cinq enfants.

Nathalie vivace et légère
Eric tendre et présent
Marine riante et grave
Bruno vif argent et inventif
Clara scintillante et interrogative.

Et j'ai été longtemps au début de ma vie de père, un homme silencieux, qui ne savait se dire, qui ne savait témoigner ni de ses sentiments, ni de ses émotions.

Un père absent... même quand il était présent, parce que trop souvent ailleurs dans ses projets, dans ses constructions utopiques ou simplement en train de bâtir le futur et oubliant de vivre le présent.

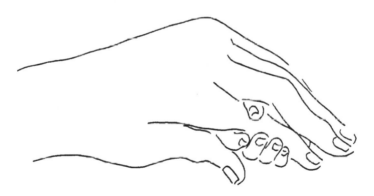

Un jour j'ai éprouvé le besoin de leur écrire une lettre, la voici :

Lettre d'un père à ses enfants

A vous mes enfants,
A chacun

C'est la fin de l'été et déjà commence l'automne de ma vie.
Je voudrais vous dire cette aventure étonnante d'avoir été votre père.
En vous écrivant ce soir, je veux simplement inscrire dans un signe, encore un peu de mon amour. Je veux laisser dans une trace les offrandes et les demandes de vous en moi, de moi au profond de vous.
Le saviez-vous?
Je vous ai portés pendant tant et tant d'années en moi.
Non pas à bout de bras, mais dans ma chair, au creux de mon ventre et de mes cuisses.
Je vous ai portés dans mes pensées, dans mes peurs et dans mes soucis, dans mes projets aussi, dans mes enthousiasmes et dans mes rires.
Je vous ai portés dans mes amours, bien sûr.

Je vous ai gardés ainsi longtemps, sans rien en dire, presque en cachette, tout au chaud, tout au fond de moi, vivants, entiers, pleins de tous vos possibles.
Vous m'habitiez, vous étiez cette part de plus que moi qui m'agrandissait jusqu'à l'infini.
Avec des mots-silences je vous ai souvent parlé,
Avec des milliers de dialogues-muets je vous ai dit le sérieux et la folie de ma tête et de mon coeur.
Avec mes yeux je vous faisais des propositions inouïes,

Avec mes élans je vous offrais le monde,
Avec mes émerveillements je vous inventais la vie.

Oui, j'ai eu du mal à vous lâcher, à me laisser grandir
sans vous, à accepter cette solitude jamais dite, d'être
seulement votre père.

J'aurais tant voulu vous accompagner dans d'autres
rôles, dans d'autres vies.
J'aurais souhaité partager plus le présent ou créer plus
encore le quotidien imprévisible.

Aussi la déchirure de vous perdre s'étire encore en moi
comme un appel sans fin.

Et cependant

Il était temps de vous laisser sortir de moi,
de vous laisser aller,
de vous laisser partir ailleurs, sans vous perdre aux
horizons de la vie,
de vous laisser enfin entrer dans le ventre étonnant de l'existence...

De tout cela vous n'avez jamais rien su.

Je suis resté un père trop silencieux, lointain par son
travail,
préoccupé des autres et en apparence de lui-même.

Aujourd'hui vous êtes si loin, si proches, bientôt sem-
blables enfin, à vous mêmes.

Avec toute ma tendresse apaisée, silencieuse et présente.

Et cet appel-témoignage d'une mère à sa fille. Cette ouverture à la rencontre, une invitation à se trouver... à se retrouver.

Je voudrais te dire

Je voudrais te dire,
Des mots légers comme des bulles de savon
Qui se rient de nos poursuites folles...

Je veux me laisser aller tout simplement
A te dire que je te trouve belle ma fille,
Ma grande,
Grande si vite
Et si vulnérable
Si fermement en quête
        De te grandir
        De te dépasser...

Te dire aussi que je t'aime, ma fille
Pour toi... Enfin
Pour cette femme que tu es
Qui s'accouche de l'enfance
Aussi vivante et chaude
Que toutes tes soifs d'impossible
Que tous tes désirs réunis,
        Tumultueuse,
        Surprenante,
        Inattendue...

Mes mots seront-ils assez fous
Pour créer la démesure ?

Seront-ils assez flamme de tendresse savoureuse
Aux flux et aux reflux de tous mes désirs de mère

Pour te permettre de leur échapper
Inventant ta marche si laborieuse soit-elle
   Tes grèves de resourcement
   Tes faims de recommencement...

  Je voudrais t'offrir la clef
  De tous les mots d'amour
  A redécouvrir
  A réinventer
  A l'orée de chaque césure
    Emue,
    Emerveillée,
    Surprise,
    Première.

      Simone COMARD

Il y a des soirs de lumière
où sur mon corps
le poids de l'enfant
se fait léger
comme le vol d'un oiseau
dans le soleil couchant;
sans doute parce que pour moi
la vraie richesse de l'homme
c'est l'automne qui se souvient
du printemps et le perpétue
jusqu'en son hiver.

      Pierre DERLON

  (extrait du Journal d'un saltimbanque)

Tous les hommes vont avoir à apprendre la Tendresse.
C'est elle l'Energie nouvelle,
C'est le Don premier,
C'est ce qui part d'une source
Et coule au-dehors.
C'est le mouvement vers ce qui n'est pas soi,
Le mouvement de sortie de soi,
La création.
Tout l'univers existe sur ce mode.
Le mot Tendresse
Est un creuset mental
Dans lequel vous ferez l'alchimie
Du Don et de la Création

Marie-Hélène Basset

La tendresse de la pudeur, celle qui voile ses mots de silence, ses regards d'attente, ses gestes d'hésitation. " Je n'ai pas osé dire que j'aimais votre regard sur mes yeux, vos mains sur ma peau, votre bouche sur mes seins, votre joue sur mon ventre... Je n'ai pas osé vous dire encore. " disait cette jeune femme à l'homme qu'elle désirait.

LA TENDRESSE AMOUREUSE

> "Je n'ai qu'à prendre ta main
> pour changer le cours de tes rêves."
>
> René CHAR

L'amour est certainement le pays que nous connaissons le plus mal. Imaginez une fois de dire "partons en voyage vers plus d'amour" plutôt que de dire "partons en voyage vers l'Espagne".

C'est vraiment un beau cadeau que nous nous faisons à nous-même en aimant quelqu'un. C'est ouvrir une route nouvelle, un chemin étonné, une voie royale que de s'engager vers plus d'abandon.

Pour parler de la tendresse amoureuse, il faut rappeler qu'il y a différents états amoureux et donc différents enjeux à l'amour proposé, demandé ou partagé(1).

---

(1) Etre en amour et être amoureux sont deux états d'être très différents. Nous avons envie de renvoyer le lecteur au livre de F. ALBERONI - Le choc amoureux- Ed. Ramsay et à celui de Max PAGES - Le travail amoureux - Ed. Dunod.

> "Quand on se fait un bisou pour le plaisir,
> c'est un signe de tendresse. Ceux qui se font
> des bisous que pour l'amour, ce n'est pas de
> la tendresse."
>
> Frédérique 12 ans

Il conviendrait de distinguer au moins trois familles dans l'amour :

* Les amours de rêve :

ceux des contes de fées qui se terminent, après la série d'épreuves où le héros va enfin conquérir sa belle, par "ils se marièrent et eurent beaucoup d'enfants." Cet amour-là n'est pas seulement dans les contes et les livres... il est aussi dans beaucoup d'imaginaires et de mythologies personnelles. Cet amour-là, idéalisé, sera souvent déçu et donc porteur de ressentiment et de revendications qui interdiront l'accès à la tendresse. Trop porteur d'absolu il se révélera exigeant, tyrannique et entraînera des violences relationnelles qui le fragiliseront et parfois même le tueront.

* Les amours de besoin:

ceux qui parfois ont pris leurs racines dans les manques de l'enfance et qui vont tenter de s'approprier l'autre, de le contrôler... et qui font prendre le risque de déboucher sur une aliénation mutuelle. Ils sont caractérisés par le mouvement de prendre, d'amener, de faire venir l'autre à soi. Les amours de besoin sont dévastateurs, insatisfaits et insatiables. Ils débouchent parfois sur des relations de type parasitaire... où la tendresse est broyée avant que de naître.

* Les amours de désir:

qui seront porteurs de plus de possibles car ils restent ouverts sur la remise en cause, sur la créativité. Ils sont caractérisés par un mouvement différent qui sera de conduire à l'autre, d'aller vers lui (avec aussi parfois le risque de s'imposer, de vouloir pour l'autre...). C'est ce mouvement vers l'autre qui est créatif, qui donne envie (en-vie) d'être plus.

La tendresse amoureuse sera donc une façon de dépasser l'amour de besoin pour accompagner l'amour de désir. Ce sera sortir de la possessivité, de la captation de l'autre, de l'appropriation et même de la réduction de notre partenaire à nos besoins, à nos peurs et à nos limites. C'est le chemin que vont parcourir certains couples pour se rencontrer comme des êtres différents et uniques.

> Quand le goût de toi
> présente
> est recueillement et silence odorant
> Quand le goût de toi
> absente
> est attente proche et limpide.

J'ai écrit ce petit texte qui balise cette démarche.

Déclaration des droits de l'homme et de la femme à l'amour

T'aimer
sans t'envahir

Te multiplier
sans te perdre

Te dire
sans me trahir

Te garder
sans te posséder

Et être ainsi moi-même
au plus secret de toi.

Donner sa chance à l'instant

Avec toi
je sens le temps de la durée
Avec toi
j'ouvre chaque seconde comme une éternité
et plonge incandescent dans le ventre opulent de l'instant
Avec toi
dans l'éclair de tes yeux, je retiens l'infini pour en faire
un présent
Avec toi
le manque s'abolit aux confins du futur pour devenir
aimance
Avec toi
c'est la mer retrouvée à jamais, c'est la vague fluide
des rires,
c'est la houle apaisée des plaisirs
Avec toi
j'unifie l'univers
Avec toi
je détiens une bribe d'absolu pour distancer la mort
et dans l'inespéré d'un seul geste
je prolonge l'espace et le temps
jusqu'aux rives d'une naissance
Avec toi
je reçois la vie dans les bras du soleil.

Portrait intérieur

Ce ne sont pas des souvenirs
qui, en moi, t'entretiennent;
tu n'es pas non plus mienne
par la force d'un beau désir.

Ce qui te rend présente,
c'est le détour ardent
qu'une tendresse lente
décrit dans mon propre sang.

Je suis sans besoin
de te voir apparaître;
il m'a suffi de naître
pour te perdre un peu moins.

Rainer Maria RILKE

La tendresse c'est l'amour exempt de toute convoitise, de toute possession. C'est faire le choix de l'autre pour lui donner du bon.

> Une tendresse ronde et lisse, chaude
> comme un galet recuit au soleil et
> roulé pendant des siècles aux
> miracles de l'eau-vie.

Dans la tendresse amoureuse, il y aura toute l'importance de se dire, d'énoncer son besoin propre, différencié de l'autre, de faire découvrir ses zones de sensibilité, ses interrogations et aussi ses peurs, sans crainte du jugement, de l'ironie ou du risque d'être étiqueté par l'autre.

C'est sur une feuille blanche que j'ai balbutié mes premiers mots de tendresse dans un cahier d'écolier, longtemps caché au secret de la pudeur.

Balbutiements

L'amour c'est quand tu dis oui
alors je sens ce oui t'agrandir
et me revenir
étonné
d'avoir été reçu

L'amour c'est quand je te souris
et que tu t'illumines
émerveillée
de me recevoir

L'amour c'est quand il n'est jamais
trop tard
d'ouvrir mes bras
pour t'y jeter

L'amour c'est quand tu me dis
viens
au moment où le monde bascule
en s'ouvrant
sur l'infini de ton plaisir

L'amour c'est que tu sois là
vivante à ma tendresse
renouvelée.

A la cime du ciel

Entre oubli et enfance
          j'ai engrangé ma vie
Entre étoiles et désastres
          j'ai navigué longtemps
Entre cris et silences
          je me suis égaré
Entre peurs et espoirs
          je me suis entendu
Entre neige et printemps
          j'ai laissé mes écorces

      Puis tu m'as accosté
      la cime du ciel
      météorite d'azur
      et je suis devenu
      cette saison de toi
      aux couleurs du jasmin.

Il y a aussi et surtout cette difficulté des hommes à se dire, à exprimer leurs sentiments, à laisser parler leurs émotions.

Les silences sont parfois le trop-plein de la tendresse, quand ils se disent avec des regards et se murmurent avec des signes.

Quand je ne dis pas

Quand mon doigt amoureux
Dessine ton visage
Et dit ainsi
L'espace qui m'habite

Quand ma main donnante
Ouvre ton corps
Et appelle ainsi
La vie qui te contient

Quand mon souffle
Recrée le tien
Pour en mêler les songes
Et ouvrir à une naissance

Quand il est doux
D'être près de toi
Et vital
De te le dire.

Et dire le plaisir, le bon et l'émerveillement à partager avec l'être aimé. Mettre en mots pour laisser s'inscrire dans tous les registres de notre être la trace des étonnements.

Il y a dans ton bonheur l'émerveillement du mien

Il y a dans le réel
Des trous de rêve
Par où la réalité s'échappe
Et réveille le ciel

Il y a dans tes yeux
Des éclats de rire
Par où la nuit se dissipe
Et s'ouvre aux étoiles

Il y a dans ta bouche
Des surprises multiples
Par où la vie se danse
Et prolonge l'éternité

Il y a dans tes mains
Des appels sauvages
Par où mon corps s'éblouit
Et rejoint le soleil

Il y a dans ton ventre
Des résonances douces
Par où mes certitudes s'écoulent
Et deviennent croyances.

La tendresse amoureuse passe par la différenciation.
Oser se dire non, c'est inventer des oui plus vrais.

Dés-accord

Quand tu me dis NON !

Cela éveille en moi
>> des angoisses anciennes
>> des peurs encore inexplorées
>> des ombres fugitives d'appels inexpliqués
>> des abîmes d'inquiétudes sourdes

Quand tu me dis NON !

>> le ciel se ferme
>> et ma vie s'arrête
>> l'espoir se déchire
>>>> et la mort se découvre
>> et je retrouve
>>>> le visage fascinant
>>>> des instants de vertige
Pourtant
>> quand tu me dis NON !

c'est ton existence
>> que tu me révèles
>> que tu me rappelles
en te refusant
c'est ton désir à TOI
>> que tu affirmes
>> que tu me tends
>>>> à bout de peurs
>>>> à fleur d'espoir

quand tu me dis NON
        et que je l'entends
        et que je l'accepte
            sans me sentir niée
            sans me sentir écartelée

nous pouvons commencer à ETRE

        TOI   et   MOI

instant précaire
mais   ô combien fertile
d'une RENCONTRE VRAIE.

            Sarah CHARLIER

Conjugaison amoureuse

J'ai conjugué
le verbe aimer
avec toi

A tous les temps
   Passé, futur, conditionnel, impératif,
   Imparfait, plus-que-parfait, infini-tif,
Par tous les temps
   Pluie, tempête, parfois soleil,
   vent, gel et bel arc-en-ciel
Dans tous les temps
   Du commencement
   jusqu'à la fin des temps
De temps en temps
mettant un certain temps,
oubliant quelque temps,
mais tant et tant
que personne
ne le conjuguât
jamais autant.
   Et pourtant
   que le temps
   m'en laisse le temps
   je le conjuguerai
   avec toi,
   partout
   encore longtemps...

   mais alors seulement
   et tout le temps
   au temps présent.

Elisabeth LAPPERRIERE

Je suis allé en nostalgie
et là au bout du sentier
des souvenances
j'ai découvert un paysage
jamais vu
j'ai entendu enfin toutes
tes paroles
j'ai retrouvé la trace
de tes odeurs
j'ai retrouvé le bruit
de ma respiration
que j'ai approfondie
pour te rejoindre
enfin.

Prière douce

Fais-moi la vie douce
attends-moi
comme un enfant, comme un héros.
Comme un vieux sage aussi parfois
sans attendre de moi.

Fais-moi la vie folle
laisse-toi rêver dans mes rêves
porter dans mes attentes
t'ouvrir à mes élans.

Fais-moi la vie soleil
au brasier de ton ventre
aux rires de tes bras
aux enchantements de tes plaisirs.

Fais-moi la vie sauvage
blessée au vent du Nord
heurtée aux arêtes des nuits
hantée de tous les risques.

Fais-moi la vie présente
celle où tu es
entière
celle où je suis
entier.

La tendresse dans l'éclat imprévu d'un rire.
Rire éternel qui jaillit des bonheurs reçus de ta
seule présence; "Je ris merveilleusement avec toi,
voilà la chance unique" disait René Char.

FAIS-MOI AMOUR

Fais-moi amour, fait-toi amour
me disais-tu...

Avant l'amour,
j'ai besoin de ton regard
pour assurer mon existence.
Pendant l'amour,
j'ai besoin de ta main
pour m'ancrer et me laisser aller sans vertige
au plus loin de moi,
au plus près de toi.
Après l'amour
j'ai besoin de tes bras,
pour m'accueillir
pour me contenir
Oui j'ai besoin d'un contenant
après t'avoir reçu.
Que c'est bon d'aller vers ce quoi
je me sens appelé.

TENDRESSE ET NOSTALGIE

> Sans le rêve il n'y a pas de poésie
> possible
> Et sans poésie, il n'y a pas de vie
> supportable

Il y a dans toute relation le risque de la perte, de l'abandon. Ce sont les blessures du lien qui s'inscrivent en nous le plus durablement. Et c'est aussi ce que nous en ferons qui ouvrira ou fermera les portes de la tendresse.

Quand est venu le temps de se séparer, de s'éloigner ou de se perdre, la tendresse, si elle n'est pas tuée par le ressentiment, par la violence de la souffrance (sur soi ou sur l'autre) permet de garder la trace du meilleur de l'autre et de nous-même.

> "Cette sensation, dans laquelle la présence
> illusoire de ma mère est plus forte que
> son absence réelle, est sans doute la
> première forme de l'oubli."
>
> Annie ERNAUX (Une femme).

Il suffit parfois de fermer les yeux pour entendre la musique d'une voix, pour sentir le souffle d'une gorge, pour retrouver l'odeur d'une présence.

Il suffit parfois d'écouter ses oreilles pour entendre la présence de quelqu'un qui n'est plus.

Tu me disais

Tu me disais
Rieuse
Dévoile-moi la mer.

Tu me disais
Ombreuse
Embrase-moi la nuit.

Tu me disais
Lumineuse
Caresse-moi le ciel.

Tu me disais
joyeuse
laisse-moi t'aimer

Tu me disais
Sérieuse
Invente-moi un enfant.

Et j'entr'ouvrais
Plus loin
Tous mes silences
Pour mieux te recevoir.

Et puis garder aussi le souvenir, la trace en nous de ces instants fragiles de retrouvailles, de rencontres précieuses dans un restaurant, dans un endroit protégé autour d'un échange-prétexte de nourriture et de boissons.

Au face-à-face des jours
surgissent des instants précieux.
Tel ce moment reçu, agrandi,
Inventé pour nous deux
à la rencontre de ce soir.

J'en veux garder plus loin la trace
bien au delà du souvenir.
Te rappelles-tu qui a proposé
qui a invité ?
Et de quel événement passé
ou à venir
nous fêtons la présence ?
As-tu la souvenance encore
de cette envie
de nous retrouver en ce lieu
pour en cueillir le meilleur,
en savourer tout l'attente.

Nous nous sommes accordés au désir
de l'essentielle nourriture,
puis au plaisir des regards échangés,
à l'abandon des paroles offertes
et au reçu de la proximité fragile.
Nous avons partagé dans le secret des mots
et recréé en ces lieux une part de nos élans...

Voilà, nous reviendrons peut-être,
sûrement,
déposer encore un peu de chacun
dans un nous à poursuivre.

> La tendresse c'est quand la réalité
> arrive à dépasser le rêve.

J'ai écrit un texte après la mort d'une amie pour ses trois filles et pour son mari. Nous pouvons aussi offrir à ceux qui restent, notre regard.

Quand nous regardons les iris ou les tournesols de Van Gogh, ce ne sont pas des tournesols ou des iris que nous admirons mais le regard qu'il a su avoir pour eux.

Agathe

Elle avait toujours le coeur qui boitait un peu
Toujours le rire à fleur de larmes
Mais la tendresse pas consumée
La révolte pas consommée.

Elle avait le regard en attente du beau
Et cette douceur de la violence qui déchire un peu
Elle avait les gestes qui griffent et chantonnent bleu
Autour de l'abandon et de l'espérance.

Elle avait le goût amer du temps qui fuit
De l'espace qui s'évade trop vite
Du mouvement de la vie à retenir
Pour jongler encore un peu
Avec les mille possibles de l'attente.

Elle avait le sens de la passion
L'impatience de l'infini

La main qui dévoile les rêves pour les ancrer
Dans le réel et en faire un don.

Oui elle avait
l'offrande offerte et l'accueil
Qui multiplie la rencontre
Elle provoquait les jours à renouveler
Elle avait
La pudeur excessive de ceux qui savent
Leur blessure ouverte à jamais.

Tu étais Agathe la vie étourdissante
Inconsolable à jamais
Restée inachevée
Sur le désir
De vivre.

L'esseulé

Un jour l'esseulé rencontre une belle
et les voilà qu'ils vivent ensemble
à l'année longue
cinq années pleines.

Un soir, entre chien et loup
la belle lui dit
comme la chèvre de Monsieur Seguin
"J'ai envie de m'en aller, mon amour
J'ai un autre amour."

Et lui de répondre
"J'ai reçu tant de cadeaux de toi
pendant cinq années pleines
tant d'amour
que s'il t'arrivait de partir
je passerais tout mon temps
à me ressouvenir.
J'ai vécu tant de moments forts
que rien que le fait
de me les remettre en mémoire
pourrait me servir à être heureux
trois siècles."

Julos BEAUCARNE

Tiré du livre "J'ai 20 ans de chanson"
Ed. Vent d'Ouest ou sur disque
L'Ere Vidéo Chrétienne
Disque Libellule - Diffusion Mélodie

Il faudrait aussi parler de la tendresse et de la solitude. Quand celui ou celle qui reste seul a du mal à devenir un bon compagnon pour lui-même.

> "La pire des solitudes c'est d'être
> un mauvais compagnon pour soi-même."
>
> Ma Grand Mère.

Accepter d'être un bon compagnon pour soi, se rapprocher de cette partie de nous-même à laquelle il est important de rester fidèle : le meilleur de soi.

> La vieillesse c'est quand le passé
> est fatigué.

Et quand vient la fin, l'approche du passage vers un ailleurs, jamais connu. Quand vient cette nostalgie déchirante de se garder vivant, vivante, simplement vivant.

Le récit chanté par une vieille femme au soir de l'existence.

Au coin du feu

"La dernière nuit, il s'est éveillé
Et m'a dit "Embrasse-moi, va
embrasse-moi, je m'en vais..."
Il est parti, et puis un grand silence...
Nous n'avons pas eu d'enfant.
Peut-être que c'est bien comme ça.
Il reste cependant tous ces jours,
Ces jours et ces jours passés
derrière la montagne
et que l'autan a balayés.
Ces jours et aussi la caresse de l'eau
sur les pierres.
Toute cette vie, tout ce chemin...
Et maintenant... et maintenant...
Il faut que j'aille chercher du bois
le feu va s'éteindre."

Chanson occitane de Didier CALEPHA
chantée par Los de NADAU

Tendresse de la présence faite d'attentivité, de vigilance légère, d'ouverture à chaque instant. Un accueil à la lumière de l'imprévu, celui qui colore le moment et en fait un cadeau.

Il arrive qu'un regard puisse
guérir
Il arrive parfois aux paroles
de soigner.
Il arrive souvent au temps
d'apaiser.
Il arrive quelquefois à la foi
de soulager.
Il arrive sans doute à la confiance
de soutenir.
Mais toujours il arrive à l'amour-tendresse
de guérir, de soigner, d'apaiser, de soulager, de
soutenir.
De cela je suis sûr.
Fais confiance en l'amour-tendresse que tu portes en toi.

TENDRESSE ET FIN DE VIE

"Laisse- moi au moins
De ma dernière tendresse
Tapisser le sol
Sous ton pas qui se perd."

Vladimir MAIAKOWSKI

La tendresse manifestée à l'égard des mourants est certainement parmi les plus essentielles. Elle est vitale, justement, dans cette situation où un être commence à entrer dans le passage qui le conduira ailleurs.

Quelles que soient nos croyances à propos de cet ailleurs, nous pouvons permettre à celui qui s'en approche d'exprimer les sentiments et les pensées qui l'habitent. La tendresse sera cette possibilité offerte à l'autre de dire ou de montrer où il en est, quelles que soient ses préoccupations.

Ecouter un mourant c'est se rappeler qu'il est un vivant et que comme tout vivant il a des sentiments et des interrogations. Il sera important d'entendre la direction que prennent ses préoccupations.
Peut-être est-il tourné vers son passé : regrets, situations inachevées, beaux souvenirs, bilan...
Peut-être est-il habité par le présent surtout : souffrance, sérénité, regard sur les fleurs ou sur la poitrine d'une infirmière, besoin de dire encore une fois à ses proches, dans le présent de la situation qu'il les aime, ou qu'il leur en veut.

Peut-être ses pensées se dirigent-elles vers l'avenir : vision de ce qui l'attend de l'autre côté, ou encore l'avenir de ceux qu'il quitte, ou ce qu'il adviendra de ses biens, de son oeuvre, des travaux laissés en suspens.

Cette acceptation inconditionnelle de ce qui se passe pour l'autre dans ce moment unique est difficilement atteinte, à cause des émotions et des croyances soulevées par l'approche de la mort chez ceux qui accompagnent l'être en partance.

Ils sont renvoyés à ce moment-là à une double notion, celle de finitude. Comment s'inscrit ce point dans les mythologies archaïques de toute-puissance, de survivance et de prolongation du temps dans l'éternité. Celle aussi de séparation, de perte, de privation et d'impuissance à agir face aux mystères de la vie qui se dérobe, nous échappe sans possibilité d'avoir prise, influence ou pouvoir quelconque.

Que nous soyons pour lui des proches, ou que nous soyons là dans l'exercice de notre profession, nous croyons savoir ce qu'il serait opportun d'exprimer et de ressentir dans cette situation unique. Nous sommes atteints dans nos valeurs, dans nos peurs et dans nos désirs, et par identification nous rejetons ce qui nous paraît insupportable (déchéance physique, perte de facultés intellectuelles, régression etc.). Nous pouvons avoir tendance à dicter à l'autre ce qui devrait l'habiter, ou à nier ce qu'il vit, au lieu d'entendre et d'accueillir ce qui vient, ce qui est pour lui dans ces moments de fin de vie, dans ces instants sans retour.

Dans un passage dramatique du Dialogue des Carmélites, nous voyons une Mère Supérieure qui avait vécu dans une sérénité spirituelle extraordinaire mourir dans l'angoisse, le doute et le blasphème. Les religieuses qui l'entourent sont choquées, cette trahison leur est insupportable. Elles n'ont pas compris que cette femme avait pris sur elle la mort d'une jeune religieuse révoltée et renégate qui, elle, marche à l'échafaud en chantant la joie et la louange de Dieu.

Il y a autour de la mort un mystère qui nous dépasse et nous ne pouvons être que les humbles témoins des derniers instants d'un être humain.

Lorsque les accompagnants du mourant sont des soignants, la tendresse passera surtout par l'offrande d'une écoute, d'une présence, et par la capacité d'entendre ce qui se passe sans chercher à s'en approprier le sens. Le personnel soignant risque d'être pris dans le "faire" ou de fuir dans des "interventions" plutôt que d'offrir accompagnement, écoute et disponibilité. La tendresse est alors barrée par l'agir, le faire (et parfois l'acharnement thérapeutique). Cette fuite en avant pour contrarier, retarder la finitude d'une vie, pour prolonger une vie dans l'absurde et s'opposer, peut-être, aux mouvements profonds d'un être en route vers un ailleurs, parfois sans nom, et toujours d'incertitudes, cette fuite nous éloigne de la tendresse.

Lorsque c'est un membre de notre famille ou un ami que nous accompagnons, il sera important de pouvoir dire aussi les sentiments d'amour qui nous habitent ou nous ont habité à son égard. Chaque fois que quelqu'un est important pour nous, il se trouve en nous de l'amour pour lui, même sous le ressentiment, le jugement ou le soulagement que nous apporte la mort.

Une femme exprimait de la reconnaissance à l'égard de son père "qui avait pris quatre jours pour mourir". Elle sentait qu'il lui avait permis ainsi la rencontre et le partage de l'essentiel avant la séparation.

Il est plus facile de se quitter lorsqu'on s'est rencontré vraiment qu'en restant sur les non-dits et les malentendus, les projections réciproques.

Tel homme gardait un cadeau précieux d'avoir pu serrer dans ses bras, toucher le visage si redoutable, si étranger de son père.

Pour un autre encore le possible aura été de pleurer, de s'abandonner, de dire "Papa", ce mot oublié depuis des années dans les labyrinthes du refus, du ressentiment et des malentendus.

La tendresse s'adresse à ceux qui partent, nous précèdent sur le chemin et par là même nous rapprochent de la mort. Elle s'adresse aussi à ceux qui restent, et à ceux qui accompagnent et sont ébranlés. Ils ont besoin de se restaurer et de se reconstituer.

Un homme exprimait son besoin de faire l'amour après avoir croisé la mort. D'autres auront besoin de manger ou de rire pour réaffirmer la vie triomphante qui pour eux se poursuit.

Pour tous l'important serait de pouvoir vivre et ressentir vraiment, sans les nier, les minimiser ou les condamner, toute la gamme variée des émotions déclenchées par la mort et la séparation, de la colère au chagrin, et du désespoir à l'acceptation. Si à leur tour ils trouvent une écoute ouverte et tolérante, la ronde de la tendresse entre vivants se poursuivra.

Oui osez être un bon compagnon
pour vous même

C'est vous qui êtes au cœur de toutes vos relations,
ce qui ne veut pas dire au centre
Vous êtes responsable de l'estime, de l'amour et du respect
que vous vous portez
Vous êtes garant aussi, de l'amélioration possible de la qualité
de vos relations, ce qui ne veut pas dire
que vous êtes garant de toute la relation
Vous avez la charge... ou le plaisir
de votre épanouissement, de votre bonheur
Ne comptez plus sur l'autre pour vous prendre en charge
pour assurer et combler vos besoins,
pour apaiser vos désirs ou protéger vos peurs
Cela viendra aussi mais en plus, en offrande dans l'inespéré
de l'imprévisible
N'attendez pas de l'autre la réponse
interrogez plutôt vos questions
prolongez vos perceptions au delà des apparences
écoutez votre ressenti et faites ainsi confiance
à tout l'inconnu
et
à l'étonnement qui vous habite
Osez vous définir et marquez sans cesse la différence
quand l'autre tente de vous définir...
à partir de sa vision, de ses croyances ou de ses peurs à lui
Expérimentez en créant du réel au delà de vos certitudes
et de vos habitudes
Vous ne vivez rien que vous ne puissiez affronter
vous ne produisez rien que vous ne puissiez résoudre
Prenez soin de vous réellement, journellement
Vous êtes extraordinairement unique
et exceptionnel

même si vous l'avez oublié
Vivez comme si vous étiez seul et acceptez de vous relier
aux autres chaque fois que cela est possible
pour eux, pour vous
Voyez les autres comme des cadeaux
et mieux encore comme
des présents
qui enrichissent votre vie.
La pire des solitudes, n'est pas d'être seul
c'est d'être un compagnon épouvantable
pour soi-même
La solitude la plus violente c'est de s'ennuyer en sa propre
compagnie
Alors, n'hésitez plus, soyez un bon compagnon pour vous
Votre vie vous le rendra bien.

"Qu'est-ce qui pour chacun de nous est inévitable ?
Le bonheur.
Et quelle est la grande merveille ? Chaque jour, la
mort frappe autour de nous et nous vivons comme
des vivants immortels. Voilà la plus grande merveille."

Le Mahabharata

Aujourd'hui est le premier jour de ma vie à venir.

Je tente ici d'inscrire dans une trace l'essentiel de mes ressentis et de la compréhension que j'ai de mes choix de vie.

* Le respect de moi, c'est cela qui prime en moi aujourd'hui dans mon vécu d'homme. Sortir des co-errances dans lesquelles je me perdais... et perdais l'autre aussi, pour plus de cohérence interne.
Je ne cherche ni à blesser l'autre, ni à me justifier dans ce que j'éprouve, mais seulement à oser me définir, à oser dire ce que je ressens sans préjuger à l'avance du ressenti de l'autre, sans m'emparer du sien pour le protéger ou le réparer.
* Je sais, je sens que je vais ainsi vers une inaccessible liberté, celle de faire des choix en m'écoutant, celle de renoncer en choisissant justement, celle de prendre le risque de faire confiance à ce qui circule en moi dans ce temps de vie où je suis, aujourd'hui.
* Mes choix m'appartiennent et choisir c'est renoncer.
* Je renonce donc à une relation, à des relations, à des modes de vie dans lesquels je ne me retrouve pas, pour lesquels je ne sens pas en moi un mouvement vers le meilleur, un abandon, une ouverture qui m'agrandit et me prolonge.
* Je renonce à la prise en charge des peurs et des désirs de l'autre sur moi.
* Je tente de me responsabiliser dans mes émotions, mes sentiments, pour passer, chaque fois que j'en prends conscience, du réactionnel au relationnel.
* Je choisis aussi d'entendre comment l'autre se définit devant moi, avec ce qu'il est aujourd'hui.
* Je choisis de me définir devant lui, en parlant de moi... en ne le laissant plus parler sur moi.
* Je choisis de garder le meilleur d'une relation, de l'inscrire en moi au delà des regrets et des manques.

* Je choisis de garder l'essentiel des découvertes, des enthousiasmes, des plaisirs et des partages.

* Je choisis aussi de me prendre plus en charge, de ne pas laisser croire à l'autre qu'il est responsable de mes besoins ou de mes sentiments.

J'avance ainsi aujourd'hui.

LA TENDRESSE A L'EGARD DE SOI-MEME

Nous attendons tous d'être aimés, oubliant trop souvent d'aimer cette part de nous-même qui réclame le plus attention, acceptation et reconnaissance. En acceptant d'être un meilleure compagnon pour moi-même, je ne peux craindre la solitude... car alors je ne m'ennuie pas en ma propre compagnie.

Accepter de s'aimer est différent de n'aimer que soi. Mais oser s'aimer paraît encore à beaucoup difficile et parfois malsain. Tout se passe comme si notre propre personne n'était pas digne d'intérêt, d'attention et d'amour... par nous-même.

Si je me méprise, si je me déteste, si je me dévalorise, c'est bien tout cela que j'offre à l'autre dans la relation.

La difficulté à s'aimer est liée à celle du recevoir - à entrer dans l'abandon, dans l'accueillir, c'est-à-dire dans le oui.

Ma tendresse

Ma tendresse est ce chemin
Que je ne savais prendre
Découvert bien après les peurs
Bien après les doutes
Plus loin que les demandes.
Plus profond que les désirs.
Ma tendresse
Est dans ce regard qui agrandit les possibles
Et accueille l'imprévu
Elle est dans cette qualité de l'attention qui se
transforme
Un objet, un événement ou un être
Et le prolonge plus loin,
Plus beau, bien au delà de l'instant.
Ma tendresse est un sourire
Porte ouverte sur l'incertitude du fugitif,
Sur le trop plein de l'éphémère.
Ma tendresse est un geste entier
Avec lequel je crée le présent
Pour en faire un cadeau.
Elle est ce mouvement invisible et précieux
De mon corps vers le tien
Brise-chagrin silencieux
Où s'efface la détresse d'un jour malheureux.
Ma tendresse est respiration
Au rythme de ton écoute,
Elle est émotion au secret de nos dires
Elle est confiance à l'abandon de nos corps
Elle abolit le temps pour en faire une durée
Inscrite dans l'espace d'un territoire protégé.
Avec ma tendresse je te dis le verbe aimer
Qui se conjugue ainsi toujours au Présent.

J'ai déjà dit que la tendresse était une forme de respect à l'égard de soi-même. Un des chemins possibles vers plus de respect sera d'accepter de prendre du temps pour soi. D'accepter de mieux entendre son histoire, de prendre en charge son devenir. De se former à une meilleure connaissance de soi, dans ses ressources, dans ses limites, dans ses contradictions.

"J'ai eu longtemps un visage inutile
Mais maintenant
J'ai un visage pour être aimé
J'ai un visage pour être heureux."

P. ELUARD

Si comme nous l'avons vu, la tendresse est une des formes chaleureuses du respect, l'absence du respect de soi-même sera un obstacle majeur à la tendresse pour soi.

Il y a quelques années, au mitan de ma vie, j'ai éprouvé le besoin de me réconcilier avec le compagnon le plus fidèle que je n'ai jamais eu : mon corps.

Lettre à mon corps

Bonjour mon corps,

C'est à toi que je veux dire aujourd'hui, combien je te remercie de m'avoir accompagné depuis si longtemps sur les chemins de ma vie.

Je ne t'ai pas toujours accordé l'intérêt, l'affection ou plus simplement le respect que tu mérites. Souvent je t'ai même maltraité, matraqué de reproches violents, ignoré par des regards indifférents, rejeté avec des silences pleins de doutes.

Tu es le compagnon dont j'ai le plus abusé, que j'ai le plus trahi. Et aujourd'hui, au mitan de ma vie, un peu ému, je te redécouvre avec tes cicatrices secrètes, avec ta lassitude, avec tes émerveillements et tes possibles.

Je me surprends à t'aimer mon corps, avec des envies de te câliner, de te choyer, de te donner du bon.

J'ai envie de te faire des cadeaux uniques, de dessiner des fleurs et des rivières sur ta peau, de t'offrir du Mozart, de te donner les rires du soleil et de t'introduire aux rêves des étoiles. Tout cela à la fois, dans l'abondance et le plaisir.

Mon corps je te suis fidèle. Oh non pas malgré moi, mais dans l'acceptation profonde de ton amour. Oui, j'ai découvert que tu m'aimais mon corps, que tu prenais soin de moi, que tu respectais ma présence.

Combien de violences as-tu affrontées pour me laisser naître ! pour me laisser être, pour me laisser grandir avec toi.

Combien de maladies m'as-tu évitées, combien d'accidents as-tu traversés pour me sauver la vie !

Bien sûr, il m'arrive parfois de te partager et même de te laisser aimer par d'autres, par Une que je connais et qui t'enlèverait bien... si je la laissais faire.

Mon corps, maintenant que je t'ai rencontré, je ne te lâcherai plus.

Nous irons jusqu'au bout de notre vie commune... et quoi qu'il arrive ! nous vieillirons ensemble.

> "Il ne faut pas permettre au temps
> de s'ennuyer avec nous."
>
> Tahar Ben Jelloun

Je choisis de prendre du temps pour moi

Sur les multiples et rapides chemins de ma vie
Je m'arrête quelques instants.
J'écoute mes silences et mes tumultes
j'écoute ce qui se vit, ce qui s'oublie,
ce qui se combat aussi dans mon corps.
Mes émotions cachées
mes peurs secrètes
mes désespoirs à vif
mes désirs torrents
mes colères tempêtes.
Je laisse monter en moi, tous ces possibles
doux et fragiles
violents et forts
timides ou enflammés.
J'ai de l'attention pour chacun
aimés ou maltraités.
Je leur fait une place
j'écoute ce qu'ils me disent
d'où ils viennent
à qui ils s'adressent.
Je m'accorde le temps nécessaire
à cette écoute.
Peut-être un souvenir prendra-t-il sens !

Peut-être un lien se fera-t-il !
Peut-être une rencontre s'ouvrira-t-elle !
Peut-être comprendrai-je enfin
comment je reproduis des situations qui m'aliènent,
des souffrances qui me blessent !
Peut-être vais-je découvrir des richesses en moi
camouflées derrière l'écran de mes interdits, de mes
refus !
Peut-être vais-je simplement apprendre à me mettre
à l'écoute du meilleur de moi.

Oui je choisis aujourd'hui de prendre du temps pour
moi
et je me rencontre.

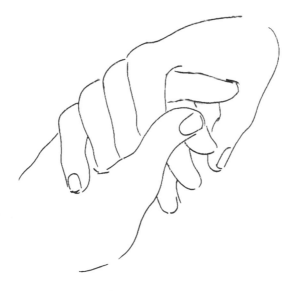

Oser se dire ouvre plus de chemins à la tendresse que le silence et la fuite. Oser dire les demandes cachées, oser montrer le besoin, oser témoigner de l'indicible sous les apparences du bien-être.

Confidences

Il y a aussi
sous la fragilité
de mes sourires
des blessures vivaces.

Il y a souvent
sous l'élan
de mes enthousiasmes
la détresse des silences.

Il y a parfois
sous le bleu
des projets
l'attente d'une compréhension.

Il y a encore
sous l'amour donné
des besoins
étonnés de tendresse.

Et depuis longtemps
j'ai envie de crier à chacun
que m'as-tu donné toi,
que m'as-tu offert,
hors de tes plaintes
hors de la violence
de tes demandes
que m'as-tu apporté
dans la nuit de mes demandes !

Une façon de mieux vivre la tendresse pour soi, c'est d'accepter de vivre au PRESENT. Si nous restons prisonniers de notre passé, fixés sur les manques, attachés aux personnages significatifs de notre histoire ou au contraire trop projetés dans le futur, trop en avance sur demain, nous risquons d'échapper à la vitalité du moment, de ne pas vivre l'instant et ses possibles.

Se libérer de son passé c'est accepter d'avoir eu les parents que nous avons eu, c'est renoncer à les changer.

C'est entendre ses manques et se reconnaître avec, c'est d'intégrer son histoire non comme un conte mais comme un terreau dans lequel il est possible de croître et de s'embellir... plus loin.

"Il y a ce qu'on a fait de nous, mais il y a aussi ce que nous faisons de ce qu'on a fait de nous".

Et ça c'est une oeuvre sans fin dont nous sommes seuls les artisans... avec l'aide parfois de ceux qui nous accompagnent dans le respect et la tendresse.

Ces derniers textes accompagneront cette présentation sur les possibles de la tendresse et serviront aussi de conclusion.

Ma cinquième saison

Tu es ma cinquième saison
Celle qui vient
Après toutes les ombres,
Après toutes les pluies,
Après toutes les neiges.
Tu es une saison ancienne
Ré-ouverte au plus vif de la vie.
Tu es une saison rubis
Où viennent s'incendier
Mes regards innocents.
Tu es une saison étoile
Dans l'opale de mes errances.
Tu es le sens toujours renouvelé
De ma tendresse orange,
Galaxie en voyage
Au profond de moi-même
O mon unique saison.

Si vous faites des projets

Si vous faites des projets
pour un jour
aimez-vous.

Si vous faites des projets
pour une année
semez du blé.

Si vous faites des projets
pour dix ans
plantez un arbre.

Si vous faites de projets
pour cent ans
dédiez-vous à l'éducation
des êtres humains.

Si vous faites de projets
pour plusieurs vies
consacrez-vous à l'amour exclusivement.

Et si vous envisagez des projets
pour l'éternité
inventez la vie.

Proverbe de ma grand-mère inspiré
pour moitié du chinois.

Ce texte est inspiré d'un chant folklorique des indiens des Plaines aux USA, il donne les huit positions humaines que chacun de nous porte en lui.

L'arbre en fleurs

La femme en toi
L'homme en moi
        ensemble
sommes au moins
quatre partenaires dans
notre relation amoureuse.

La petite fille en toi
le petit garçon en moi
en ajoutent au moins deux
à notre célébration de la vie.

Le vieil homme en moi
la vieille femme en toi
portent à huit
le nombre de nos amants
        ensemble
nous remplissons d'amour
l'infini de l'univers.

Bernardo

La vie est à tous

Il faudrait annoncer
un immense décret
La vie est à tous
elle est donnée gratuitement
elle est offerte éperdument.

C'est le don fondamental
il y a de l'amour partout
bien au delà de chacun
bien plus loin que la vie.

Et proclamer ainsi
un immense moratoire :
tous les enfants étranglés
par les cordons ombilicaux
de leur dette
à la souffrance de leur mère
tous les enfants castrés
par les peurs silencieuses
de leur père

RESPIREZ
DEGAGEZ-VOUS
OSEZ VOUS AIMER

Allez, la route est ouverte
bien avant votre naissance
elle vous attend
il y a une place pour chacun
il y a un amour à recevoir
il y a un amour à donner
celui que tu portes en toi.

Nous le savons tous, la tendresse n'est pas un état permanent, c'est une découverte permanente. Il appartient à chacun de la découvrir sous le fragile des apparences, sous la violence des habitudes, sous l'impalpable du présent.

C'est une galaxie en voyage dans le ciel des rencontres, elle peut ainsi nous prolonger jusqu'aux étoiles de la vie.

En guise d'envoi

Tendresse avec vous lectrice (ce sont les femmes qui lisent, écrivent les journaux !), tendresse avec vous lecteur (je ne désespère jamais), tendresse avec l'arbre qui a donné sa vie pour faire le papier de ce livre, tendresse avec tous ceux qui se cherchent tâtonnants ou triomphants. Et tendresse à ceux qui s'habitent et osent s'émerveiller des fruits de la vie.

J'ai aimé ce texte d'Albert Jacquard, en vous l'offrant, j'ai envie de me prolonger avec lui, pour m'approcher encore un peu de vous. Pour vous rejoindre dans vos interrogations et cheminer ainsi, plus près, plus loin. Pour rester proche, bien après avoir fermé ce livre, éteint la lumière et poursuivre vos rêves.

" Moi, je n'suis pas comme les autres. " Bien sûr, car mon patrimoine génétique, fruit d'une double loterie, est unique ; unique aussi l'aventure qui j'ai vécue. Ce que j'ai en commun avec tous les autres est le pouvoir, à partir de ce que j'ai reçu, de participer à ma propre création.
Encore faut-il qu'on me laisse faire.

Merci, mes parents, dont l'ovule et le spermatozoïde contenaient toutes les recettes de fabrication des substances qui me constituent.
Merci, ma famille, pour la nourriture, la chaleur, l'affection, qui m'ont permis de grandir et de me structurer.
Merci, mes maîtres, qui m'ont transmis les connaissances lentement accumulées par l'humanité depuis qu'elle interroge l'univers.
Merci, vous qui m'avez aimé, de votre irremplaçable amour.

Mais c'est à moi d'achever l'ouvrage, à moi de poser la poutre faîtière. Oubliez celui que vous auriez voulu que je sois. Je n'ai pas à réaliser le rêve que vous aviez fait pour moi ; ce serait trahir ma nature d'homme. Pour que je sois vraiment un homme, vous me devez un dernier cadeau : la liberté de devenir celui que je choisis d'être.

Albert Jacquard

Ouvrages de Jacques Salomé

Editions du Regard Fertile :
La Souffrerrance, 1980 (épuisé)
Toi mon Infinitude, 1982 (épuisé)
Je t'aime, 1985
Les Feux de l'aimance, 1986 (épuisé)
Aux Saisons de nos Vie, le temps n'a pas d'âge,1987
Aimances, 1990

Autres éditeurs :
Supervision et formation de l'éducateur spécialisé, Ed. Privat, 1972 (épuisé)
Je m'appelle toi, Ed. Albin Michel, 1979
Parle-moi... j'ai des choses à te dire, Ed. de l'Homme. 1982
Je t'appelle Tendresse, Ed. Espace Bleu, 1984
Relation d'aide et formation à l'entretien, Ed. P.U.L., 1987
Apprivoiser la tendresse, Ed. Jouvence, 1988
Papa, maman, écoutez-moi vraiment, Ed. Albin Michel, 1989
T'es toi quand tu parles, Ed. Albin Michel, 1992
Bonjour Tendresse, Ed. Albin Michel, 1992
Contes à guérir, contes à grandir, Ed. Albin Michel, 1993
L'enfant Bouddha, Illustrations Cosey, Ed. Albin Michel, 1993
Heureux qui communique, Ed. Albin Michel, 1993

En collaboration avec Sylvie Galland :
Les mémoires de l'oubli, Ed. Jouvence, 1989
Si je m'écoutais je m'entendrais, Ed. de l'Homme, 1990
Aimer et se le Dire, Ed. de l'Homme, 1993

Cassettes (Editions Sonothèque Média)
Cassettes audio
Vivre la tendresse au quotidien
Aimer et se le dire
Pour être à l'écoute de nos enfants, être à l'écoute de l'enfant en nous
Etre un bon compagnon pour soi-même
A corps et à cris
Contes à guérir, contes à grandir
Parle-moi... j'ai des choses à te dire
Cassettes vidéo
Heureux qui communique

Pour aller au-delà des livres avec la voix de l'auteur

Jacques Salomé vous accompagne
pour aller au-delà de la tendresse
et ouvrir le dialogue avec soi et avec l'autre.

Vivre la tendresse au quotidien

La tendresse, c'est apprendre à conjuguer le **verbe aimer seulement au présent.** La tendresse est en nous, mais nous ne savons pas toujours la vivre et la partager.

CASSETTE - FF 110 / FS 29

Aimer et se le dire

Voici un thème difficile à aborder, tant il est **chargé d'espoirs**... mais aussi de malentendus. Jacques Salomé nous invite à nous ouvrir à un **partage possible entre les partenaires** que nous sommes ou que nous projetons d'être.

CASSETTE - FF 110 / FS 29

Etre un bon compagnon pour soi-même

Dans toute rencontre, dans tout partage, **nous offrons à l'autre ce que nous sommes.** Beaucoup d'entre nous ont des exigences redoutables à l'égard d'eux-mêmes, des **attitudes de rejet** envers ce qu'ils sont, avec des doutes, des dévalorisations, des conduites d'auto-privation.

CASSETTE - FF 110 / FS 29

Pour être à l'écoute de nos enfants, être à l'écoute de l'enfant qui est en nous

Encore une fois, Jacques Salomé, dans cette nouvelle cassette, ne fait pas dans la facilité. Il bouscule nos **"certitudes"** d'adultes pour nous permettre de vivre des **communications vivantes** et d'avoir des **relations en santé** avec

CASSETTE - FF 110 / FS 29

POUR ETRE A L'ECOUTE
DE NOS ENFANTS ;
ETRE A L'ECOUTE
DE L'ENFANT EN NOUS

Conférence de
Jacques SALOMÉ

A corps et à cris

Jacques Salomé nous permet de comprendre **comment les maladies sont les cris du silence.** Comment les blessures les plus profondes sont celles que nous n'avons pas pu médiatiser par la parole, la mise en mots. Comment nous sommes **"partie prenante" de tout ce qui nous arrive.**

CASSETTE - FF 110 / FS 29

A CORPS ET A CRIS

Conférence de
Jacques SALOMÉ

Parle-moi... j'ai des choses à te dire

Vivre à deux en étant différents est possible si nous acceptons de nous en donner les moyens. Ce n'est pas **l'intensité de la passion** mais la **qualité de la relation** qui permet des **épanouissements dans la durée.**

CASSETTE - FF 110 / FS 29

PARLE-MOI...
J'AI DES CHÒSES
A TE DIRE

Conférence de
Jacques SALOMÉ

Contes à guérir, contes à grandir

"En stimulant notre imaginaire, les contes nous conduisent directement à l'inconscient, sans intermédiaire, sans écran. En cela, ils remplissent une **fonction essentielle,** celle de nous relier aux **forces vives de notre créativité."**

2 CASSETTES - FF 199 / FS 50

DEVELOPPEMENT PERSONNEL

CONTES A GUERIR
CONTES A GRANDIR

Conférence de
Jacques SALOMÉ
Illustration musicale
Piano & cithare
Marc RAYMOND

Sonothèque-Média

LA CASSETTE EST L'AMIE DU LIVRE

Achevé d'imprimer sur rotative
par l'Imprimerie Darantiere à Dijon-Quetigny
en mars 1999

Dépôt légal : 2ᵉ trimestre 1991
N° d'impression : 99-0293